نَارِنْجَة

جوخة الحارثي

نَارِنْجَة

رواية

دار الآداب - بيروت

نَارِنْجَة

جوخة الحارثي / روائيّة عُمانيّة

الطبعة الأولى عام 2016

ISBN 978-9953-89-520-8

دار الآداب للنشر والتوزيع

ساقية الجنزير ــ بناية بيهم

بيروت ــ لبنان

هاتف: 861633 (01) ــ 861632 (03)

فاكس: 009611861633

e-mail: rana@daraladab.com

info@daraladab.com

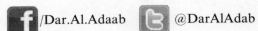

/Dar.Al.Adaab   @DarAlAdab   daraladab.com

خياطة الدمية: زمزم الحارثي

صورة الغلاف: ثريا الحارثي

إلى الشيخ الحكيم

الأصابع

أفتح عينيَّ فجأة فأرى أصابعها . أراها إصبعًا إصبعًا، ممتلئة ومتجعِّدة بأظافر خشنة، بخاتم وحيد من الفضّة، وإبهام تنتهي بظفر صلب أسود، فقد احتفظت بآثار جرح بليغ كاد يقطعها، لم أكن أرى الظفر الغريب غريبًا، كانت تطلب منِّي تقليمه، لكنَّ أضخم قلّامة أظافر تعجز عنه، تهزُّ رأسها في كلّ مرَّة وتقول: «خلاص، جرِّبي السكِّين»، وتكون هناك سكِّين صغيرة فعلاً تظهر، فجأةً، من مكان ما، ولكنِّي لا أجرّبها، أقلِّم باقي أظافرها السليمة بالمقصّ، أترك لها مهمّة الظفر الأسود الصلب في الإبهام المشوَّه .

أكون في سريري الضيِّق في غرفتي الجامعية في الطابق الأخير، أستيقظ وأرى الثلج يتساقط عبر النافذة، أقف حافية القدمين على الأرض الخشبيَّة بمنامتي الطويلة، أحدِّق في الثلج والظلام، وفجأةً، أرى الظفر الأسود المعقوف. أراه بوضوح

وأندم. أعود لسريري الضيِّق، تتلاشى أصوات زملائي الصينيين في المطبخ، ويخفت صوت الموسيقى الصاخبة في غرفة زميلتي النيجيريّة، وأتلوَّى من شدَّة الندم.

كان بوسعي فعل شيء ما للظفر الأسود بدلاً من تركه يطول هكذا، مُهمَلاً ومعقوفًا. كان يمكن لكلمة «التجاهل» ألّا توجد. لكنَّها وُجِدَت، وُجِدَت وَنَمَتْ واستطالت كأيِّ ظفر سليم واثق، يخدش ولا يخدش، كظفري أنا، المحتفظ بآثار الطلاء من حفلة عيد ميلاد صديقتي الباكستانيّة أمس. نعم، استطالَتْ كلمة «التجاهل» بلا قلّامة أظافر، وبلا طلاء حتى، وحين أختنق داخل منامتي الطويلة، في سريري الضيِّق، في الليلة الثلجيّة، فإنما أختنق بالندم. أختنق من التجاهل، من الغفلة، من التغافل.

هل سألتها يومًا: «ماذا حدث لإصبعك؟»، ربمّا، لكنِّي لا أتذكّر ماذا حدث. كنت أجمع الأهلّة الخشنة المقصوصة من الأظافر السليمة وأرميها، كانت تريدني أن أدفنها في التراب، وكنت أتجاهل. أتغافل. تسحبُ كيسَ أدويتها الأبيض من تحت ساقها الممدودة وتعطيني إياه، لم يكن هناك ما يُقرَأ؛ ثلاثة خطوط بالحبر أو اثنين على كل كيس، الحبوب البيضاء مرّتْين في اليوم والحبوب الورديَّة ثلاث مرَّات. فيمَ كانت الأدوية؟ لا أعرف. لم أسأل. كان هناك عشرون مسألة في كتاب الرياضيَّات يتوجَّب عليَّ حلُّها، ولم أسأل عن الدواء بخطوط الحبر العجلى على أغلفته.

أنسى الأصابع، أنسى الأدوية، ثمّ في ليلة ما، بلا أرق، بلا

حزن، بلا ذكرى، ليلة ما، أيّ ليلة، سأراها في المنام.

جالسة، كما ظلَّت في السنوات العشر الأخيرة، وجهها جميل ومليء بالتجاعيد، وابتسامتها مشرقة وطيِّبة، وذراعاها ممدودتان لي. حين تمتدّ ذراعاها باتجاهي تتثنّى طرحتها الطويلة زاهية الألوان عشرات الثنيّات، يلمع خاتمها الفضّي في الخنصر السليم، يتوارى الظفر الأسود المصاب، وأنا سأرتمي في حضنها.

سيكون الخريف قد حَلَّ، الأشجار الضخمة المحيطة بالسكن الجامعي اصفرَّت وتساقطت أوراقها، عمَّال النظافة يكنسون الأوراق الصفراء عن الممرّات، تتباهى الطالبات بتحمّل بدايات البرد ويخطرن بالتنانير القصيرة، وأنا كنتُ هناك، قبل لحظة واحدة فقط، قبل اللحظة التي فتحت فيها عينيَّ وحَلَّ الخريف، كنتُ في حضنها. كنت أشمُّ الزباد والعود والتراب القديم، وكنَّا نتبادل الأدوار؛ كنت أردِّد الكلمة التي طالما ردَّدتها هي: «لا تذهبي»، لا، لم يكن تبادلنا الأدوار محكمًا، كانت تبتسم بحنان، ولم أكن أفعل هذا حين كانت هي من يقول: «لا تذهبي».

لقد ذهبْتُ. لقد ذهبَتْ. لا يمكن تغيير شيء فما خطَّته يد القضاء قد خطَّته، «وكلّ دموعك وتوسّلاتك لا تمحو خطًّا واحدًا». لقد ذهبتُ، لم أبتسم، ذهبتُ بسطوةِ الجهل والتجاهل، الغفلة والتغافل، الندم، الندم العاتي، هو ما يجعلني أضعف من الأوراق الصفراء الخريفيّة تكسرها مكنسة العامل تحت نافذتي.

كان لصديقتي الباكستانيّة النحيلة أصابع متناسقة، وأظافر لا

يمسسها الطلاء. كان اسمها «سرور» وكانت سرورًا كلّها. ترسل شعرها الطويل الأسود على ظهرها وتضحك بإشراق، تمدُّ أصابعها النحيلة بأظافرها المقلَّمة وتخلِّل بها شعرها، كانت سرورًا كلّها، ولم يخدش أصابعها خدش، كأنَّما احتفظت بها الحياة في رَفِّهَا النائي عن الأنواء، في عليين، بلا خدوش ولا ندوب، وكنت أمازحها بالقول: «أنت عاشقة يا سرور»، فتضحك. كنت أستشهد بقيس لبنى:

وللحبِّ آياتٌ تبين بالفتى نحولٌ وتعرى من يديهِ الأشاجِعُ

لم تحبَّ سرور كلمة أشاجع، ولم تكن عاشقة، أختها كانت.

في عيد ميلادها الذي طليتُ فيه أظافري بالأحمر،كانت سرور غائبة الذهن، فأختها العاشقة تزوَّجت حبيبها زواج متعة سرًّا. لا أحد يعرف، وكان على سرور، الأخت الصغرى، كتمان السرّ غير السارّ، لكنَّه كان ثقيلاً، وكانت سرور ـ التي نشأت في ڤيلّا أبيها الفاخرة في كراتشي، لا تتحدّث بغير الإنجليزية ـ يُبهظها السرّ، لا تفهم كيف انتقلت أختها من عبث الغزل إلى فداحة الزواج، وممّن؟ رجل لم يتعلَّم الإنجليزيّة إلَّا في ثانوية قريته النائية بأقاصي باكستان. لم يكن أبوه مصرفيًّا مرموقًا كأبيها، وأمه الفلاحة لم تسمع عن مدينة اسمها لندن. لكن أختها، كُحل، الطالبة في السنة الأخيرة في كلِّيَّة الطبّ، وجدت شيخًا يعقد عليها وحبيبها سرًّا زواج متعة. وسرور، في عيد ميلادها الثاني والعشرين، تحمل السرّ، تجرُّه بداخلها مثل إصبع مشوَّه

بظفر أسود معقوف.

شعرها الأسود الطويل منثور على كتفي وهي تنشج: «تصوَّري يا زهور، تصوَّري، أختي، أختي أنا تتزوَّج هذا الفلّاح»، كانت سرور أجمل من أختها، تشبه أمها التي نشأت في لندن وكادت أن تكون نجمة مسارحها لولا زواجها، لم تكن تضع أي زينة على وجهها، فكانت دموعها حبّات صافية ونقيّة، لا تختلط بسواد الكحل ولا تلطِّخها البودرة، كانت حبّات كبيرة ولامعة ولائقة، في حين كانت دموعي خيوطًا منسابة على وجهي المترب، وكانت هي، بإصبعها ذي الظُّفر الأسود، تكشط الخيوط عن وجهي، وتناولني العصا: «اذهبي الآن واضربيهم»، أتظاهر بالذهاب وأختبئ في المُصلّى خلف البيت. كان ذلك في الصيف، قبل أن تُقعَد، كانت ما تزال تمشي عصر كل يوم بين بيتنا والبساتين قاطعة كل الحارات التي كنّا نلعب فيها، وفي ذات يوم، رأت المشهد الذي كان يتكرَّر كثيرًا دون علمها: أنا مرميّة في الأرض، تمرّغني فطّوم بالتراب وأخوها عليان يجذب شعري، وخيوط دموعي المُتربَة تسيل بلا حَوْل. اقتربت هي بهيكلها الضخم، طولها الفارع، وجسدها الممتلئ، وأهوت بالعصا التي تتوكّأ عليها على فطّوم وعليان، هربا فلاحقتهما، انسلّا داخل بيتهما، فرفعت عصاها ودقَّت بها الباب الخشبيّ، كادت أن تكسره، فتح أبو عليان الباب ونجا بأعجوبة من أن تفقأ عينه بعصاها، قالت له: «إذا ما أدّبت أولادك نحن بنأدبهم»، وقفلت راجعة إلى بيتنا دون أن تلتفت إليّ.

كانت بقايا الكيك على الطاولة وأكواب العصير الورقيّة، لم

١٣

تقدّم سرور الكحول في حفلتها، فحضر القليل من الزملاء. كانت تدرس اللغة العربيّة عبر نصوص كلاسيكيّة، فلطالما تمكّنت من قراءة الطبري أكثر مما تتمكّن من قراءة الجريدة، قرأت بعض التفاسير واقتنعت أن أباها كان مخطئًا في تقديم الكحول بحفلاته الصاخبة في ڤيلّا كراتشي وشقّة لندن. فكّرتُ بأن علينا تنظيف المكان، لكن سرور لم تتوقّف عن الشكوى من أختها: «فلّاح، أمه وأبوه أُميّان، فلّاح». لم يكن حبيب أختها فلّاحًا، كان طالبًا في كلّيّة الطبّ، كأختها.

قلتُ فجأة: «جدّتي كانت تتمنّى أن تكون فلّاحة». وندمتُ. رفعت سرور رأسها: «جدّتك؟»، نعم، لقد خرجت الكلمات ولا يمكن استعادتها، ولقد قلت فعلاً «جدّتي». لماذا لا تتعلّق بالكلمات خيوط لنجذبها إلينا ونعيدها إلى جوفنا؟ لا. ليس ثمّة خيوط، فقد قيلت وانتهى الأمر.

صَحْنُ الأَب

حدث كلُّ شيء أثناء الحرب العالمية الأولى.

تعطَّلت حركة النقل بالبواخر في الخليج، فشحَّت السلع، وصل سعر شوال الأرزّ إلى مائة قرش، من قروش ماريا تيريزا الفضِّيَّة، وسعر جراب التمر إلى ثلاثين قرشًا، وسعر الطرحة القطنية للمرأة إلى قرشين كامليْن، ضربت سنون المحل بمخالبها، جفَّت الأفلاج، يبستْ النخيل، وخَلَتْ قرى بأكملها من سكَّانها الذين هاجروا إمّا إلى مناطق أخرى هادنها المحلُ والغلاء، وإمّا إلى شرقيّ أفريقيا.

وُلِدَتْ هي وأخوها بُعيْد الحرب في إحدى هذه القرى الرازحة تحت وطأة الغلاء والجفاف، ماتت أمّها بالحمّى بعد مولدها بسنين قلائل، حين كان الناس يتناقلون إشاعات لم تؤكَّد قط عن شركة إنجليزية مُنِحَت حقّ التنقيب عن النفط. كان أبوها فارسًا يروّض الخيلَ الجامحة، ولكنَّ زوجته الجديدة روَّضته،

١٥

وأقنعته أنّ من الخير لهما ولأولادهما أن يطردا الشقيقيْن يتيمَي الأمّ، وهو ما كان؛ ضربَ الأبُ على زندِ ابنه في اللحظة التي امتدّت فيها يده لتناول اللقمة من الصحن العائليّ المشترك، تناثرت حبّات الأرزّ الثمينة من يد الولد ذي الخمسة عشر عامًا، ارتعشت شقيقته التي تصغره بعامين وتوقّفت عن الأكل، صاح الأب: «ما تخجل تجلس على صحن أبوك؟ كُلْ من كَدّ هذي الزند، أبوك ما تلقاه دوم»، فخرج الولد وأخته في يده من بيت أبيه .

روَت لي هـذه القصّة في اليـوم الـذي ضرِبَتْ فيه فطّوم وعليان، وخلّصتني إلى الأبد من التمريغ في التراب وتقطيع شعري، ولكنّي لم أصدّقها. تخيَّلتُ أن يمسك أبي بيد أخي ويضعني في يده ويطردنا من البيت. لا يمكن، لا يمكن أن يحدث هذا، لكنَّها روَتْ القصّة مرارًا بعد ذلك، وفي كل مرّة، كانت تسيل دمعة صغيرة من عينها الوحيدة، ليس على طردهما يتيمين وحيدين، وإنَّما على أخيها الذي لم يحتمل شقاء العمل بالمياومة في بناء بيوت الطين، فمات بعد أقلّ من سنتين من طردهما .

قالت سرور: «جدّتك؟ كانت تتمنّى أن تكون فلّاحة؟». نعم، لا يمكن جذب الكلمات من خيوطها وإرجاعها، قلت لسرور: «كانت تتمنّى أن تملك أرضًا ولو صغيرة، بها نخلات ولو خمس، وبها شجيرات ليمون وفيفاي وموز ونارنج، تزرعها بنفسها وتسقيها وتعتني بها، وتأكل منها، وتستريح في ظلِّها».

سكتت صديقتي ولعلَّها لم تفهم، لملمنا الأكواب والصحون ونظَّفنا الطاولات، انتهت الحفلة. ستنام سرور، ستتكتَّم على زواج أختها، وسيستيقظ حلم جدّتي.

ظلَّت تحلم بالحقل الصغير تفلحه وتعيش من ريعه حتى ماتت، لم يتحقَّق حلمها قطّ، كما لم يتحقَّق لها أي حلم آخر، أي حلم، حتى عندما ركبت على شاحنة بدفورد من قريتها إلى مسقط لتقابل طومس، طبيب الإرسالية الشهير ليعيد حلم الإبصار لعينها التي طمستها أعشاب الجهل في طفولتها، طمَسَ طومس الحلم، أخبرها بأنَّ الألم الذي شعرت به في عينها كان سيزول لوحده، لكنَّ منقوع الأعشاب الذي صُبَّ مرارًا في عينها الموجوعة أفقدها الرؤية إلى الأبد، وأنه لا جراحة يستطيع عملها ليعيد إليها البصر، قال لها إن عليها أن تكتفي بعينها السليمة، فاكتَفَتْ، ركبت الشاحنة وقفلت راجعة إلى قريتها.

وأنا، مُغبَّشة بعد بضباب ذراعيها المفتوحتين لي، أنسى بأنَّها ماتت، أقوم لأبحث عنها، أدور في الممرّات بين الغرف، أسمع جدال زملائي الصينيين وصياح زميلتي النيجيريّة وهي تمارس الجنس مع طالب كولمبيّ بدأت تستلطفه مؤخَّرًا، أجد نفسي حافية في المطبخ البارد، لا يتوقَّف الثلج، أتذكَّر بأنها ماتت، لا أدور في الممرّات.

حاولت كُحْل إقناع أختها سرور أن تتخلَّى عن غرفتها بعض الأحايين لتتيح لها ولزوجها الاختلاء فيها، فهو يسكن في شقَّة ضيِّقة مع خمسة طلَّاب باكستانيين، حيث يستحيل عليها أن

١٧

تذهب، وهي تسكن مع قريبة لهما وزوجها، حيث تلاصق شقّتهما كلِّيَّة الطبِّ، والسكن الجامعي بعيد للغاية عن الكلِّيَّة، وحتى إذا حاولت فلن يُسمح لها بإتمام إجراءات الانتقال للسكن الجامعي قبل نهاية الفصل الدراسي. استنفدت نقودهما الفنادق الرخيصة و«بيد آند بريكفاست»، وأبوها المصرفي حازم في شأن تحويلاته الشهرية لابنتيه. وافقت سرور بعد ممانعة، أصبحت تترك المفتاح لأختها، وتقضي الساعات في مكتبة الجامعة، أو تذاكر في الحديقة، ولكنَّها في النهاية ظلَّت لا تحتمل الفكرة، أسرَّتْ إليّ بأنها تشعر بالقذارة، والداهما لم يبخلا عليهما بأي شيء، وها هما تتواطأان بعيدًا عنهما، قالت إنها لا تستطيع التوقُّف عن التفكير فيما يفعلانه في غرفتها؛ تتخيَّل يده، يد الفلَّاح الخشنة على جيد أختها الناعم، شفتيه الغليظتين على جسدها المرفَّه، قالت إن هذا العذاب لا يُحتمَل.

لِحَافٌ بِدَوَائِرِ بُنِّيَّة

أسيرُ في الشوارع الأثريّة للمدينة المحمَّلة بالتاريخ، حقيبتي
الملأى بالكتب على ظهري، وحذائي الرياضيّ مزمومٌ بإحكام،
أسيرُ في الشوارع، غريبة الوَجْد واليد واللسان، أفكِّر في عذاب
سرور، في «القذارة»، وفي مسوّغات البشر، كلّ البشر في النهاية
يفعلون ما يريدون، ويجدون مسوّغاتهم، تولد المسوّغات مع
الأفعال، فتسهل الولادة. حين أتعب من المشي، أجلس على
مقهى مطلّ على الشارع وأشرب القهوة السوداء، أتوقَّف عن
الاكتراث بسرور وأختها ومسوّغات البشر، لا أرى القهوة في
الكوب الضخم، ألمح فنجانًا صغيرًا بقهوة بنِّيَّة تقبض عليه
الأصابع المتغضِّنة الممتلئة، أرى الظلّ الشحيح للجدار الداخلي
للبيت وأراها جالسة على حصير مادَّةً ساقيها، تشرب القهوة،
تشربها للحظتها، غير مثقلة، غير متذكِّرة، لا تحنُّ إلى شيء، ولا
تحلم بشيء، تحت شجرة النارنج الظليلة، قد كبر الأطفال

فحجرها فارغ، وكلَّتْ عينها الوحيدة، فيدها فارغة من الإبرة والخيوط والأقمشة، وعجزت ساقاها فانتهت جولاتها في الأصيل بين البيت والبساتين. كانت تجلس وحسب، تشرب القهوة وحسب، تردُّ على تحايا الجارات حين يمررن، وتهشُّ الذباب اللجوج، وتقول كلمة أو جملة ما، وتشرب قهوتها، بلا إحالات، كأنَّ اللحظة أبَد، كأنَّ الماضي لم يوجد قطّ، كأنَّ مسوّغات أبيها لطردها من البيت وشقيقها لم تعد تشغلها، وكأنَّ شباب أخيها وحياته لم يُهدَرا تحت جدران الطين التي بناها مقابل خمس بيسات للجدار.

كانت تجلس في الظلِّ الشحيح تشرب القهوة، قد توارى الزمن الذي كانت تحمِّص فيه الحبّات البنّيَّة بنفسها، وتطحنها بالهاون الحديديّ بيدها، ثم تراقب غليان القهوة في الدلّة النحاسيَّة، أصبحت تزحف فقط من غرفتها إلى ظلّ الجدار، فيأتي البنجالي من المطبخ بترمس مصنوع في تايوان، وفنجان صغير يضعه بجانبها دون أن يلتفت إليها، ويذهب، مثلنا، مثلما ذهبنا كلُّنا، نهرع للأصدقاء، لواجبات المدرسة، لأسرارنا الصغيرة، للتلفزيون، لسباق الدرّاجات، للمشاجرات في الحارة، وتبقى هي، لم تكن بعد، وهي في ظلّ الجدار، تقول: «لا تذهبي»، كانت تتصرَّف كما يليق، تتفهَّم مسوّغات البشر، أو لا تفكِّر فيها، تصمت، وتشرب قهوتها.

أغادر المقهى، أعلّق الحقيبة في كتفي، بدأ الثلج يتساقط مرَّةً أخرى، أضمُّ سترتي الصوفيَّة عليَّ، كيف تطاوع أجسادنا الثياب التي لم تتعوّد عليها بهذا اليُسْر؟ حين كنتُ طفلة، كانت تحضِّر

٢٠

الشال الصوفيّ الأخضر وتربطه حول عنقي في الشتاء، كنت لا أجرؤ على الاعتراض؛ ألبس ما تخيطه لي من ملابس خفيفة في الصيف، وأتلفّع بالشال الثقيل الرائحة في الشتاء، أغيِّر ثيابي التقليدية للذهاب إلى المدرسة، ألبس المريول الأزرق، أغيِّر ثيابي التقليدية للذهاب إلى مسقط، ألبس التنورة والقميص، أغيِّر ثيابي التقليدية للسفر إلى البلاد الباردة، ألبس الجاكت والبنطلون، وهي لم تخلع ملابس القرية التي جاءت منها قط. حتى عندما كفّت قدماها عن حملها وأصبحت تزحف إلى ظلّ الحوش، لم تَشُكْ أنَّ رداءها الطويل يعوقها، ظلَّت تجلس هناك كما كانت منذ الأزل: بالطرحة الملوَّنة القطنية، بالرداء الأسود المشغول عند الصدر والمنسدل حتى أسفل الركبة، بالأكمام الخفيفة الملوَّنة، بالسروال المحبوك على الساق، المطرَّز بطول شبر بالنقوش الفضية الدقيقة. لم ترتدِ أيَّ عباءة في حياتها، ولا أيَّ لباس آخر غير ثيابها التي نشأتْ عليها، كانت خزانتها تضمُّ بعض الأردية والسراويل المنقوشة ولا شيء آخر، ملابس النوم هي الملابس القديمة من الزيّ نفسه، ولا ملابس داخلية. أمّا مندوسها الصغير، فيضمُّ زجاجات حائلة اللون وفارغة من العطور الدهنيَّة، وحجْل فضَّة ورثته عن أمها، وبعض الأواني الخزفيّة الصينية، وصفوفًا متراصَّة من الطرح الملوَّنة، كلها من نفس النوعية القطنيَّة ذات الورود الكبيرة الحمراء، أو الشجر الأخضر، أو النجوم الصفراء، وكلُّها مطبوع على طرفها بأحرف كبيرة بضع كلمات من السواحيلية، التي لم تقرأها كما لم تقرأ أيَّ لغة أخرى. كانت النساء يُسمِّين الطرحة الملوَّنة الأفريقية «غَدْفة»، أو «لِيسُو»، لكنَّها

٢١

كانت تسمِّيها «مَصَرّ»، وقد تاقت وهي صغيرة، وأخوها بالكاد يستطيع توفير الطعام لهما، تاقت إلى مَصَرّ ملوَّن مثل باقي النساء، تاقت له بشدَّة، قبل أن تتعلَّم التخلِّي عن التوق وأوضاره. ذهبت إلى صاحب الدكَّان الوحيد بقريتها، سلَّمت عليه وبقيت ساكنة، تشاغل هو ببعض العلب الصفيحية وزجاجات السمن والعسل، ثم قال بصوت عالٍ كأنها لا تسمع: «إيش تريد بنت عامر؟». حدَّقت بعينها السليمة في صفوف المصار الحلم، وقالت بصوت خفيض: «أريد مَصَرّ». تنهَّد صاحب الدكَّان: «لكنَّ المصرّ بقرشين وأنت على حيلة أخوك اللي ما يشتغل غير «نحوة»، وعاد ليتشاغل بالأقمشة المستوردة من الهند، الدورياهي والابريسم، ولكنها لم تذهب، بقيت واقفة، لم تنظر إلى الحرائر الهندية بل إلى المصرّ الذي أصبح ثمنه بعد عدَّة سنوات من وقفتها تلك أقلَّ من ربع قرش، ولكن في تلك الأيَّام، أيَّام الجوع والغلاء، كان المصرّ بقرشين كاملين: مبلغ لم تضمّ قبضتها عليه قط. نظر إليها صاحب الدكَّان متسائلاً، قالت له: «أريد أشتري مصرّ بالصبر، وبأصَخِّم وبأرد لك القرشين». قالت جملتيها في نفس واحد، ولمَّا خرجت منها الكلمات ولم تعد محبوسة بجوفها، امتلأ صدرها بالهواء، صدر البنت التي بالكاد تودِّع الطفولة وتصبح صبيَّة، ولم تنتبه أبدًا للبروز الصغير، لكنَّ صاحب الدكَّان انتبه. دفع ضلفة الباب الخشبية دفعة هينة، أصبح الدكَّان الذي كان بلا نافذة معتمًا، قال صاحب الدكَّان: «اقتربي تفقَّدي المصارّ واختاري، أنت ما أقلّ عن بنات الأوادم اللي عندهن مصارّ»، فاقتربت وهي لا تصدِّق رضاه، أمسكت بيديها المصرّ الناعم، وتسمَّرت نظرة صاحب

٢٢

الدكَّان على صدرها، لهث بقربها: «بأراويكِ شيء أحلى من المصرّ»، وفتح إزاره قبالتها بحركة سريعة، كانت يتيمة الأم وفقيرة ومطرودة من كنف والدها، لكنَّها ابنته، ابنة الفارس الذي تغنّت النساء في الأهازيج بشجاعته، أجفلتها المفاجأة للحظة، لم تفهم تمامًا ما الذي تراه، ولكنَّها أدركت أن شيئًا خسيسًا يُراد منها، أنَّ هناك مساومة ما، اعتزَّت بأبيها الذي طردها: «أنا بنت عامر»، صرخت بالجملة مرارًا وهي ترمي المصارّ في وجهه وتهرب من الدكَّان.

بعد يومين، جاءت إليها أخت صاحب الدكَّان بمصر مزخرف بدوائر بنِّيَّة، دخلت الغرفة المتهالكة، الأقرب للخرابة، التي آوتها وأخاها، فتحت المصرّ الجديد أمامها، وقالت: «حلو؟»، تجرَّعت هي، فأكملت أخت صاحب الدكَّان: «خذيه بالصبر، لكن لازم تردِّي القرشين قبل العيد»، كانت تلك أوَّل فرحة في حياتها منذ ماتت أمها، وعدت المرأة أن تردّ الدين قبل العيد، ولمَّا ودّعتها وجدت المصرّ بين يديها، فردته على الحصير، مرَّرت أصابعها على دوائره البنِّيَّة دائرة دائرة، كانت ستفضِّل مصرًّا بورود حمراء، ولكن المهمَّ أنَّ المصرّ الآن لها، جديد وناعم حتى لو كان بدوائر بنِّيَّة، مشَتْ على الغيم، وبكت من شدة الفرح وهي تحتضن مصرها الجديد وتنام.

منذ ذلك اليوم، أصبحت ترافق النساء «المصخمات»، المشتغلات بصنع الفحم وبيعه، تتزوَّد بالتمر والماء، وتخرج معهنّ حتى أطراف الصحراء، يجمعن الحطب طوال النهار، ثم يُشعلنَ فيه النار ويدفنَّه بالرمل عند الغروب، يتحلَّقن حول

الحفرة، ينتظرن الجمر ليصبح كابيًا، يأكلن تمرهنّ ويقضين الليل في الانتظار. حين يطلع الفجر، يكون الجمر قد تحوَّل إلى «صخام»، تزيح النساء الرمال ويجمعن الصخام الأسود، يتقاسمنه وتحزم كل واحدة منهنّ حصّتها على ظهرها ليعدن إلى بيوتهنّ قبل الشروق. في السوق، كل وقر من الفحم سيباع بنصف قرش، وكان عليها أن تخرج أسبوعًا كاملاً كل يوم حتى يتجمَّع لها وقر وتتمكَّن من بيعه. أصبح وجهها أسود من السخام، وثيابها الرثّة نالَتْ منها حمولات الحطب، لكنَّها استطاعت قبل العيد أن تجمع قرشيْ فضّة، ثمن المصرّ.

خرجت مع المصخّمات لتساعدهنّ وتودعهنّ، قالت إنّها ستعود بين الحين والآخر لتصخّم من أجل مساعدة أخيها ولو بالقليل، ولكنَّها اضطرَّت لقضاء الليلة معهنّ إذ هاجم الطلق «عميرة»، وانشغلت بها النساء عن حفرة الجمر، فكان عليها هي مراقبة تحوّله إلى صخام وجمعه، أمَّا عميرة، فولدت قبل الفجر صبيًّا مجعَّدًا، لفَّتهُ في خرقة، وثبّتته فوق نصيبها من الصخام وعادت بهما؛ صخامها وصبيّها، إلى القرية قبل الشروق.

اللِيَاقَة

أستيقظُ في فراشي في العَتمة، لا أسمعُ صوتًا، كنتُ هناك،
في تلك الزاوية الترابيّة في الحوش الخلفيّ، وكنت أركض،
وكانت الزاوية كالإثم، وكنت أطارد هذا الإحساس، كنت أركض
لوحدي، لم تكن في حلمي، كان حلمًا للمكان، للإثم الطفولي،
لم تكن هناك، أين خرجت من أحلامي؟ لماذا لم تعد تمدُّ
ذراعيها وتبتسم تجاعيدها ويفوح الزّباد من صدرها؟ ربّما خرجَتْ
من أحلامي قليلاً فقط، قليلاً بما يكفي لتعيد جارتنا شيخة الخرفة
إلى بيتها بعدما خرجت بلا سروال، قليلاً بما يكفي لتمسك أخي
الصغير سفيان من إبطيه وتقذفه وتتلقّفه وهي تغنّي: «مسك وزباد
وعود وحَلّ. تمّيتُ سنتين لا أدهن ولا أكحل»، أو ربّما غادرت
أحلامي لتلقي السلام على قبر النبيّ الذي حلمت بزيارته ولم
تستطع، أو ربّما لتكحّل عينها الصحيحة بالإثمد وقد كَلَّ بصرُها،
لكنَّها خرجت من أحلامي، ولم تعد. لم أعد أصرخ في مناماتي:

٢٥

«لا تذهبي»، لم تعد تبتسم بحنان وتدفنني في حضنها، لقد ذهبت هي، هجرتني، تركتني لِتَعاقُب الثلج والخريف والصيف والربيع، دون أن تأتي مرَّة واحدة، ولا مرَّة، لعلَّها لم تغفر؟ لعلَّها تعبت مِن تَفهُّم مسوّغات البشر؟ لعلَّها أرادت أن تتركنا نهائيًا لمشاغلنا وتستردّ كلمة: «لا تذهبي» من حيث أطلقتها، لعلَّها امتلكت الخيوط الرهيفة السحريَّة التي تجذب الكلمات من أعقابها وتردّها للجوف، لعلَّها لملمت كل كلمات «لا تذهبي»، و«لا تذهبوا» وردَّتها واحتفظت بها، لعلَّها كَفَّتْ عن غفران ذنوب العالم.

في العتمة كنتُ، في الفراش العابر في البلد الغريب، وكانت روحي تحترق من عجزها البشريّ عن استعادة لحظة واحدة، كنتُ أطلب لحظة واحدة وكانت مستحيلة، كنتُ سألتفتُ التفاتة واحدة، وسأرجع خطوة واحدة، ولن أذهب. كان شعرها الذي اعتنت طوال حياتها بدهنه وتمشيطه وتضفيره، الذي لم يمسسه مقصّ، منكوشًا حول وجهها وكتفيها، شديد البياض، كالحقيقة. قد نحلت، هيكلها الفارع قد ذاب لحمُه، والأظافر المهملة لم تعد تحملها أصابع ممتلئة، كانت عينها بالكاد تميِّز أشباح البشر، وفمها بالكاد يأكل الطعام، كنت أدخل إلى غرفتها وأمتنع عن التنفُّس من رائحة البول، أحيّيها بأعلى وأسرع صوت، فتصيح: «زهور، زهور أبغي عيش»، أخبرها إني جئت بالعيش، ولكنَّها لا تقدر على أكله، أفرُّ من الرائحة، من حبّات الأرزّ حول فمها، من ظفرها الأسود الذي تكدّست تحته القذارات. أفرُّ فتصيح: «زهوووور.. لا تذهبي، ابقي معي شوية، شوية بس، أبغي حد معي، لا تذهبي»، وأذهب. لا، لا ترجع هذه اللحظة الوحيدة

٢٦

مهما توسَّلتُ إليها، كنت أذهب، «زهوووور . . زهووووور»، لم
أكن زهورًا، لم ألتفت، ظلَّت تصرخ شهرًا كاملاً: «لا تذهبوا،
ابقوا معي»، ولم نبقَ، لا أنا، ولا أخي سفيان، ولا أختي
سميَّة، هربنا من شعرها الأبيض المنكوش ورائحتها، من فقدانها
اللياقة، من تخطّي الحدود القديمة حيث ما يُقدَّم يُتفضَّل به ولا
يُطلب شيء.

كنت أسير في المدينة، وأجلس في قاعات الدرس، وآكل
السندوتشات الباردة في الكافتيريا، وأشرب الشاي في مطبخ
السكن الجامعيّ مع سرور، لكنّ عصابة كانت على عينيّ، كنت
لا أرى، ولا أعرف لـماذا لا أرى، ومـا الـذي لا أراه، كنت
أحسّ بالعصابة على عينيّ، وأحسّ بالرؤية الغائبة، ولا أفهم.

كانت سرور قد واجهَتْ أختها: «حتّام عقدتِ زواج المتعة
هذا؟ شهر؟ شهرين؟ لقد نفد صبري»، لكنّ أختها أجابتها بثقة:
«عقدناه ستة أشهر، ولكنّنا سنجعله دائمًا، لقد خُلقنا لبعضنا
البعض»، جاءت سرور إليّ: «تقول إنهما خُلقا لبعضهما يا زهور،
لا أحد يخلق لأحد، ولا يخلق خاصّة فلّاح أمّي من طبقة معدمة
لأميرة بيضاء وراقية، لكنّها تريد جعل زواجها دائمًا، سيموت أبي
كمدًا إن علم بهذا»، نعم، كانت سرور جميلة، ولكنّها لم تخلق
للعشق، ولن تحبّ أبدًا. العصابة على عينيْها كثيفة، وإنها لا
ترى.

ارتدت المصرّ بالدّوائر البنيّة، وصرَّت القرشين في طرفه،
وذهبت إلى الدكّان. وجدته مغلقًا وأخبرها الصبية الذين يتقاذفون

كرة من القماش صنعوها بأنفسهم أنّ صاحبه في بيته، يُحتضَر. وصلت إلى البيت فأدخلتها أخته إلى غرفته، كانت معتمة كدكّانه، وروائح مسحوق زيت الزيتون والفلفل الأسود والقرنفل التي كان يُدهَن بها تكتم الأنفاس، وجدت زوجته جالسة عند قدميه وعيونها محمرَّة، وكان هو يتحشرج كأنّه يستجدي الهواء، وقد وقف «المتوّب» على رأس فراشه: «قل أستغفر الله من ذنوبي كلّها، دقّها وجلّها، ظاهرها وباطنها، كبيرها وصغيرها، ما علمته منها وما لم أعلم»، ولم يكن صاحب الدكّان يقول شيئًا، يتحشرج ويومئ إلى كوب الماء في يد زوجته. تقدّمت هي ووقفت على فراشه، قالت بصوت عالٍ كأنّه لا يَسمع: «أنا بنت عامر، جيت أردّ لك الدين، عن المصرّ اللي أخذته بالصبر»، توقَّف عن الحشرجة وحدّق باتّجاهها، حلّت العقدة في طرف المصرّ وناولته القرشين، مدّ يدًا واهنة وقبض النقود، ارتجفت أصابعه وعاد يتحشرج، قال له المتوّب: «سامحها من الدّين، حلَّها من القرشين»، لكنّ صاحب الدكّان أحكم قبضته على القرشين، ودسّهما تحت وسادته، فخرجت من غرفته وبيته، وأصبح المصرّ حقًّا لها، كانت قد تحرَّرت.

الطينُ وَالفَحْم

كنت مع سرور في المكتبة، أساعدها في قراءة مخطوطة
باللّغة العربية، وتخبرني عن رغبتها في تقوية لغتها الأورديّة
كذلك، «اللّغة الثانية» كما يليق بطبقة البرجوازيّة الصغيرة في
باكستان، كانت تحاول التركيز في المخطوطة، غير أنّها في
الحقيقة لا تستطيع التفكير بغير أختها كحل، ولكنْ، هل هذه حقًّا
أختها كحل؟ إنّها لا تكاد تعرفها؛ حواسُها مشحوذة وذهنها
غائب، تسير في الحياة على زَبَد، على انتظار، تعبر ولا تعيش.
كانت تقول لسرور إنّ روحها عالقة في الثنيّات بين كلّ زرّ وآخر
في قميص حبيبها، إنّ روحها تتخبّط، هناك، في ثنيّات قميصه.
وكان هذا العشق، كلّ هذا العشق، شيئًا لا يمكن لسرور أن
تتقبّله. كيف تكون روح مخلوق مرتهنة بهذا القدر الصاعق بثنيّات
قميص وأزراره؟ لم تفهم حكاية القميص بالذّات، كيف تكون
التجعيدات العاديّة التي تتشكّل في قمصان كلّ الناس حين

يجلسون، كيف تكون في قميص شخص بعينه فخًّا للرّوح؟!

توقّفت عن القراءة، فجأة، وقالت: «ولكنّك لم تخبريني من قبل أنّ لك جدّة»، قلت لها: «كلّ الناس لهم جدّات»، ضحكت، كانت بريئة، أصرّت: «طبعًا، كلّ الناس لهم جدّات، لكنّ عائلتك ميسورة أليس كذلك؟.. لماذا تتمنّى جدّتك أن تكون فلّاحة؟»، قلت لها: «ربّما كانت كزوجة المعتمد بن عباد، التي رأت الفلّاحات من شرفة قصرها، فتمنّت أن تسير حافية على الطين مثلهنّ، فما كان من زوجها الأمير إلّا أن فرش باحة قصره بالطيب والزعفران والمسك والكافور، وأمر أن يُضمّخ بالماء حتى يصبح رطبًا مثل الطين، فخرجت زوجته تخطر فيه مع بناتها وجواريها، وتمرّغ قدميها في الطين العطريّ تمامًا كما تفعل الفلّاحات في الطين الحقيقيّ». رنَّ هاتفها، واستغرقتْ في الحديث مع أختها، فخرجتُ من المكتبة.

مضحكة هذه القصّة، لكنّي لم أشأ خدش براءة سرور، بدت لي كالبورسلين، وجدّتي كالجبل. مات أخوها، فوجدت نفسها وحيدة في الخرابة، بإبريق وفنجاني قهوة وصحن وحلّة طبخ ولحافيْن وأسمال ومصرّ جديد بدوائر بنيّة. علمت من الجارات أنّ رجلاً ما تقدّم لخطبتها فرفض أبوها تزويجها، عادت لتعمل مع النساء المصخّمات، كان المعتمد بن عباد يقول:

يخطرن في الطين والأقدام حافية كأنّها لم تطأ مسكًا وكافورا

أما جدّتي وصويحباتها المصخّمات، فلا يعرفن من المسك والكافور غير اسمه.

وفي أحد الأيّام، أغمي عليها قبل أن تصل إلى القرية، وتناثر كلّ الصخام الذي كانت تحمله على ظهرها، جمعت النساء صخامها وتعبن حتى أفاقت، كانت الشمس قد طلعت، وأزواجهنّ وأولادهنّ لم يجدوا من يخبز لهم، فجرجرنها نصف صاحية حتى أوصلنها لغرفتها. تهامسن أنّها ستلحق بأخيها ولكنّها عاشت ثمانين سنة.

في عصر ذلك اليوم، جاء «سلمان» وامرأته «الثُرَيَّا» لزيارتها كان سلمان قريبًا لأمّها، وقد عرض عليها، بعد وفاة أخيها، أن تنتقل لتعيش في بيته فرفضت. انقضَت سنتان، وقد ضعفت صحّتها، هذه المرة، جاء مع زوجته لأخذها، ساعدها في حمل الإبريق والفنجانين والحلّة والصحن ولحافيْها ولبست مصرّها الجديد وحجلها الفضيّ ورافقتهما.

لم تملك جدّتي حقلها الصغير الخاص، ولم تفلحه، عاشت ثمانين سنة أو أكثر، وماتت قبل أن يكون لها أيّ شيء تملكه على وجه البسيطة. كانت يدها خضراء، فزرعت كلّ شجيرات الليّمون والنارنج في حوش بيتنا، وكانت نارنجة بعينها هي الأحبّ إليها، لم تذبل أيّ شجرة زرعتها واعتنت بها، لكنّه كان بيتنا وحوشنا وشجرنا، كانت تعيش معنا فقط، لا تملك البيت ولا الشجر ولا حتى نحن، فلم نكن أحفادها في الحقيقة.

كانت تستند إلى شجرة النارنج، تمدّ ساقيها، تهدهد أخي الرضيع: «ياهوبه هوبه هوبه، يا هوبه وأنا أحبّه، وأحبّ اللي يحبه، وعصر أنا مروحتبه عن الغشون تهبه، واللي يبا حبيبي يبيع

٣١

أمه وأبوه ويبيع خيار ماله من المبسلي وأخوه يا هوبه هوبه هوبه»، حتى ينام أخي، فتفرش له في ظلّ النارنجة وتمسح شعره، وكانت هناك تدقّ اللّيمون اليابس، تُخرج منه الفصوص السوداء التي ستطبخ بها المرق، وتغلي القشر بالماء لتصنع منه المنقوع الذي يهدّئ نوبات غثيان أمي، في حملها المتكرّر. وفي العصرونيّات الرائقة، كانت تجلس وجارتنا العجوز شيخة ـ قبل أن ينال منها الخرف ـ تشربان القهوة وتأكلان التمر وتتحدَّثان، عمّ كانتا تتحدَّثان؟ من المؤكّد أنّ جارتنا شيخة لن تتحدث عن غير ولدها، الذي لم أره قطّ، فمنذ عرفتها وهي عجوز جدًّا وولدها كبير جدًّا ومهاجر جدًّا. أمّا جدّتي، فلا أذكر عمّا كانت تتحدّث؟ عن بكاء أخي الرضيع، سفيان، وسخطه من الحليب الصناعي؟ عن ثمرات النارنج الجديدة؟ عن الرحلة الوحيدة التي رافقتنا فيها إلى الإمارات؟ عن حدبة ملعونة تحملها امرأة اسمها ريّا؟ أم عن خطيبها الوحيد الذي رفضه أبوها؟

الأَرْمَلَةُ تَتَزوَّج

لمّا ضاقَتْ الحياة بسلمان في قريته، هاجر إلى زنجبار يافعًا،
استدان واشترى مزرعة صغيرة هناك، زرعها بالموز والمانجو
وجوز الهند والقرنفل وتاجر بمحصولها. لم تمضِ بضع سنوات
حتى كان قد جمع ما يكفي من القروش، لا ليفي دَينه فحسب بل
ليعود إلى عُمان ويفتح بيتًا ويتزوّج، ولكنه آثر البقاء في زنجبار
متنقّلاً بين فراشِ إمائهِ ومزرعته وتجارته، حتى أجبرته نكبة حلَّت
بعائلته على العودة إلى عُمان لرعاية أمه وأخواته. كان في أواخر
العشرين حين خطب ابنة عمِّه الثُّرَيَّا، التي كانت قد ترمَّلت على
زوجها الثاني وهي في السادسة عشرة من عمرها.

كانت الثُّرَيَّا طفلة بالكاد تُكمل السنين الخمس حين هاجر ابن
عمِّها سلمان لزنجبار، لم تتذكَّره حين عاد وإن كان اسمه مألوفًا
في بيت أبيها، كانت أرملة للمرَّة الثانية، وقد شاعت عنها سمعة
النحس، وأن من يتزوَّجها يموت، فلم تتوقَّع الثُّرَيَّا أن تتزوّج

٣٣

ثالثة. زوجها الأول خطبها وهي في التاسعة، ودخل عليها وهي في الحادية عشرة وهو في أواخر الستين. كانت ماتزال تخرج بضفائرها لتلعب مع البنات في الشارع، يجمعن الأعواد والخيوط وبقايا الأقمشة ويصنعن بها الدمى، يرسمن خطوط لعبة «اللتي» ومربَّعاتها على الأرض ويحجلن، وكانت حماتها تضطرّ لسحبها قبل المغرب وإخفاء دُماها الخشبية وتحميمها لتتحوّل إلى امرأة في الليل، كانت تخاف من زوجها، لم تفهم أبدًا لماذا يفعل ما يفعله بها كل ليلة، ولماذا لا تستطيع اللعب مع صديقاتها في وجوده. وحين مرض ومات فرحت لأن حماتها لن تخبّئ الدمى الخشبية وتوبّخها على تعفير ملابسها بالتراب، ولكن فرحتها كانت قصيرة فسرعان ما خلعت حماتها ملابسها الملوّنة وألبستها لبس الحداد الأبيض، وغطّت ضفائرها الطويلة كما غطّت كل مرايا البيت بطرحة سوداء، وأخبرتها أن عليها أن تبقى كذلك ولا تخرج من البيت أربعة أشهر وعشرة أيّام. أخذت الثُّريا تنتحب وتمرِّغ نفسها على الأرض، فأثنَتْ عليها المعزّيات: «ما شاء الله صغيرة السنّ، لكن تعرف الواجب وتنوح على رجلها». بعد سنتين، خطبها رجل آخر، لم يكن شيخًا، ولكنه كان فظًّا، متهوّرًا، صيّاد طرائد لا يرعوي، فكان يغيب بلا رفاق في رحلات البر، كانت في السادسة عشرة، حاملاً في طفلها الأوّل، حين جاء جماعة من البدو بزوجها وقد مزَّقته الذئاب في الصحراء، فلبستْ بياضَ الحداد للمرة الثانية، ووضعت طفلاً ميتا.

حين رآها سلمان، افتتن بنظرة عينيها، نظرة من خبر وعرف كل شيء ولم يعد مكترثًا بالعالم، نظرة شجيّة ولامبالية في الوقت

نفسه، نظرة تدوِّخ في استغنائها وتعاليها، نظرة الطفلة التي هي أم، والأم التي خُبِّئَت دُمَاها ودُفِن وليدها. افتتن بأنفها الذي وصفه لأمه وهو يقنعها بخطبة الثُّريَّا له بأنه كالسيف، وبفمها اللوزة، وبيديها الطويلتين البريئتين، كأنهما يدا طفلة لم يمسَسْها بأس الحياة، كأنَّها لم تدلِّك جلد زوجها العجوز، ولم تقلب المزق التي بقيت من زوجها الصيَّاد، ولم تحمل الطفل الميِّت وتُودِعه القبر، كأنها خُلقت ليديه فقط، لتحضن أصابعه، وتمسّد شعره. يدٌ سيأكل منها العمر كله ولن يشبع، يدٌ ستضمّه وتُظلِّلُه وتهديه وتأويه، يدها، يد ابنة عمّه الثُّريَّا، فلتكن أرملة، فلتكن ثكلى، فهو لا يبغي عنها بدلاً ولا حولاً.

في العرس، خجلت الثُّريَّا من نفسها، كانت تحسُّ أنه لم يعد يليق بها الزواج، كأنها تشعر أنها كبرت جدًّا، وأن سلمان وإن كان يكبرها بأكثر من عشر سنين إلَّا أنه شابٌّ جدًّا، كانت خجلى ومرتبكة، لكنَّها فطنت منذ الأيّام الأولى للعرس أن سلمان مُدلَّه بها، عرفت حبَّ الرجل لأوّل مرَّة في حياتها، وعرفت أن ولدها منه سيعيش، وهو ما كان.

بعد عشرة أشهر، وضعت الثُّريَّا طفلة بديعة، كاملة العافية والحُسن، أسماها سلمان «حسينة». تمكَّنت من قلوب الناس، وعاشت في لهوها حتى كُتِبَت لها سطورٌ جديدة في سِفر الحياة.

حَفْلَةٌ مُتَشَدِّدَة

دعتنا كريستين إلى حفلة في بيتها. كانت الحفلة مخيِّبة
للآمال، فكريستين النباتيّة المتشدِّدة لم تسمح بدخول حتى
منتجات الحيوانات كالحليب والبيض إلى بيتها، وهكذا لم يكن
هناك ما يؤكل في الحفلة سوى رقائق التشيبس، ونوع غريب من
الكيك بدون حليب أو بيض. جلس بعض المدعوِّين وكلهم طلبة
في كراس معدنية طويلة بلا مسند في المطبخ المكتظّ وأخذوا
يتحدَّثون عن مقرّراتهم الدراسية وأساتذتهم، في حين وقفت
الأغلبية تتبادل الأحاديث نفسها المكرّرة في الممرّ والصالة، قلت
لسرور: «سنموت من الملل قبل أن نموت من الجوع». لم يكن
هناك ما يمكن مشاهدته في شقَّة كريستين البسيطة، وكأنّ شقَّتها
انعكاس مكانيّ لشكلها البسيط، فقد كانت لا تتوقَّف عن الحركة
بتي شيرت أخضر كُتب عليه: «ناصروا البيئة»، وبنطلون جينز،
وحذاء رياضي، ولفرط طولها، كان الناس ينظرون للأعلى دومًا

٣٦

وهم يكلِّمونها، وكانت يداها تتحرَّكان باستمرار، وترتفع أصابعها تلقائيًا لتلمس الحلق الفضّي الصغير في أنفها، فيبدو واضحًا وشم الصليب المدقوق في رسغها منذ كانت في السادسة عشرة . كان شعرها شديد الشقرة ملمومًا على الدوام على شكل ذيل الحصان، وإذا لم تلبس التي شيرت الأخضر فستلبس آخرَ أزرقَ يشبهه تمامًا. بدا لي كوب قهوتها المنزوعة الكافيين بحليب الصويا طويلاً ونحيلاً مثلها، أراها في الحفلة كما كنت أراها في الجامعة: بالتي شيرت والجينز والحذاء الرياضيّ والشعر الملموم وحلق الأنف والوشم وكوبها الطويل النحيل، الشيء الوحيد المختلف أنها لا تحمل الآن حقيبتها الرمادية من اديداس على كتفيها .

انكبّ زملائي العرب على زجاجات الويسكي التي أحضروها معهم، واعتزلت كحل مع هاتفها في غرفة النوم الوحيدة في شقَّة كريستين التي تتقاسمها مع زميلتها الصينية. في الممرّ الضيّق، كانت سرور بكأس العصير بين أصابعها النحيلة ذات الأظافر المتناسقة تخوض جدالاً مع شابّين نرويجي وكوري حول الحجاب. لا أحب الوقوف الطويل، وبدأت أشعر بالسأم، فاقتحمت على كحل الغرفة وكانت قد أنهت مكالمتها لحسن الحظ .

كانت تمسح عينيها بمنديل ورقيّ. أحسست بالحرج، ولكنَّها أفسحت لي مكانًا بجانبها على السرير. قالت بعد هنيهة:

أخبرتك سرور بكل شيء، أليس كذلك؟

٣٧

شعرت بالتردّد، فأكملت: سرور لا تفهم أي شيء، إنها تظنّ أنها تفهم لكنّها في الحقيقة لا تفهم شيئًا.

لم أجد ما أقوله، فتشاغلت بالنظر إلى الجدران، لم يكن هناك ما يمكن تأمّله غير صورة والد كريستين، أستاذ الرياضيّات في جامعة كولومبيا، وخريطة صغيرة لنيويورك. قلت بصوت جافّ: «كريستين من نيويورك».

قالت كحل: «هذا ما تقوله».

شيء ما في نبرتها جعلني أحسّ أنها أكبر من سرور، ربّما أكثر نضجًا أيضًا. كانت عيناها دانيتين، لا مباليتين، وعلى الرغم من ذلك توحي نظرتهما بالعزم. أخذت تخربش الوسادة، أظافرها مطليّة بلون ورديّ، لا شكّ أنها أكثر امتلاء من سرور وملامحها أقلّ دقة. خطر في ذهني فجأة أن عائلتهما ركّزت دومًا على هذا الفرق الجمالي بين الأختين، مما أوحى لكحل لاشعوريًا أنها لا تستحقّ الأفضل. كان خاطرًا مزعجًا، عدتُ لتأمّل الجدران، لا يوجد ما يشي بوجود أيّ متعلّقات للبنت الصينية، زميلة كريستين في الغرفة.

قالت كحل فجأة: أنا أقدّر والديّ، صدقيني، أحترم اسم عائلتي، أحترم... سرور لا تفهم، إنها تظنّ أنني بزواجي من عمران أخون أسرتي، لكنّها لا تفهم...

قاطعتها: لا تعتذري يا كحل.

بوغتت: هل كنت أعتذر؟.. نعم، معك حق، أنا أعتذر طوال الوقت، سرور..

٣٨

قاطعتها مرّة أخرى: الشغف بحدّ ذاته هو أكبر عذر.

لمعت الدموع في عينيها: عمران ليس لائقًا بي وحسب، إنه يكمِّلني، كنت إنسانًا ناقصًا حتى وجدته، إن صفاءنا وقوّة شغفنا لا يمكن أن تصفه الكلمات.

وبكت فجأة، أخذ جسدها يرتعش، فوضعت يدي حول كتفها: لا تبكي يا كحل، هذا اختيارك وأنت كفء للاختيار.

أجابتني بصوت متقطّع: لكني لم أختر شيئا، لا اختيار لي في كل هذا، سرور لا تفهم، لا أريد أن أظلم أحدا، ولا أن أقلِّل فرص سرور في الحصول على عريس مناسب من عائلة مرموقة، ولكن، ولكن عمران...

جفَّفَت دموعها بمنديل ورقيّ، أشرق وجهها فجأة، وقالت بثقة: عمران، حين أصحو في الفجر ولا أجد نفسي في حضنه يصبح كل وجودي لا معنى له البتَّة.

دخلت كريستين فرفعت حاجبيها الدقيقين، قالت بنعومة: هل تلصَّصتُمَا على خزانة ثيابي؟

ضحكت كحل: ماذا عسى أن نجد فيها غير المزيد من التي شيرتات الزرقاء والخضراء المناصرة للبيئة؟

ضحكت كريستين ضحكتها الصاخبة، لم أفهم كيف يمكن لبدن بهذا النحول أن يطلق ضحكة بهذا الصخب. كان الوقت متأخرا فاستأذنتُ للانصراف.

في الشهور اللاحقة، التقيت بكحل كثيرا؛ حين لا تكون

٣٩

مشغولة بالدرس أو بعمران، نخرج في جولات طويلة في الحدائق العامة، كانت تتحدَّث بلا توقُّف، كأنما اكتشفت اللغة فجأة، وكنت أحب الاستماع إليها، بلكنتها البريطانية المميّزة، التي اكتسبتها من مدرّساتها الإنجليزيّات في طفولتها، وبشهقاتها المفاجئة بين الجمل. لقد صنعت لي كحل عالمًا من الكلمات، وأرادت إدخالي في هذا العالم، ولوهلة خلتُ بأني جزء منه، ولكن في الحقيقة لم أكن جزءًا من أي شيء.

العَروسُ والمَوْلُودُ المَسْخُوط

رافقتْ جدّتي قريبها سلمان وزوجته الثُّريَّا إلى بيتهما وبقِيَتْ فيه أربعين سنة.

حين مات أخوها ودعاها سلمان لتعيش في كنفه، كانت قد سمعت باضطراب أحواله، إذ كانت تمور مزارعه مصدرَ رزقه الأساسي، وقد زادت حكومة السلطان سعيد بن تيمور في مسقط الضرائب على التمور المصدَّرة إلى ميناء صور أربعة أضعاف، فتمسَّكت بالبقاء في مكانها، ولم تقبل عرضه حتى تهاوَتْ عافيتها من تحويل الحطب إلى فحم، وتناقل الناس الخبر الذي يؤكِّد أن الإنجليز قد تدخَّلوا لتخفيض الضرائب على التمور خوفًا من ثورة الإمامة على السلطان.

كانت ابنة سلمان والثُّريَّا الوحيدة «حَسينة» قد بلغت العاشرة، عينان وقَّادتان لا تُنبئان عن المستقبل المجهول، وجسد ينمو متعجِّلاً غيابه المخبوء، لم تبدِ أيّ عاطفة تجاه الضيفة الجديدة في

٤١

بيتهم، فتجاهلتها بنت عامر، وانهمكت في الأعمال اليوميَّة، وبعد سنوات قليلة، أصبحت الطفلةُ عروسًا وغادرت البيت.

راقبت جدّتي حسينة عروسًا، تزمُّ صُرَرها على الملابس الحريريَّة والأواني الخزفيَّة الصينيَّة والخلاخيل المشغولة، وعقد الفضَّة وحلق الذهب وحُقَّة البخور، وترحل مع عريسها وهي دون الخامسة عشرة إلى الجزيرة الخضراء، ثم إلى بروندي، حيث ستنقطع أخبارها بعد كتابين أو ثلاثة بعثتهما لوالديها، تطمئنهما على استقرار الحال، وشراء زوجها لمزرعة، وإنجابها لتوأم، ثم الصمت. لم يسمع أيّ أحد عن حسينة حتى منتصف الثمانينات حين عاد أحفادها إلى عُمان مطالبين ـ بلا جدوى ـ بالجنسيَّة العُمانيَّة.

مَضَتْ السنون وادعة في بيت سلمان، عقدت أواصر الصداقة بين زوجته الثُّريَّا وضيفته بنت عامر، وانهمك هو في دكَّانه ومزارعه، وحين بدا لهم أنْ لا شيء سيحدث في العالم، ضاقت السبل من جديد بتداعيات الحرب العالميَّة الثانية، وكانت الحياة في زنجبار قد علَّمت سلمان ألَّا مفتاح للرزق غير المغامرة، فسافر إلى مومبي للتجارة، ومع أنه عاد بمكاسب ضئيلة إلَّا أنَّه التقى هناك بسليمان الباروني، مستشار السلطان للشؤون الدينية، الذي لم يمنعه مرضه الذي مات فيه من إرشاد سلمان إلى الكتب العربية المطبوعة في الهند، وكانت هذه أنفس غنائم سلمان من رحلته، غنائم ستغيّر من حياة زوجته الثُّريَّا إلى الأبد.

في حين اكتفى سلمان في أوقات فراغه في الدكَّان بقراءة

٤٢

كتاب «الأزهار الرياضية في أئمة وملوك الأباضية» الذي أهداه له الباروني بتوقيعه، عكفت الثُّريَّا - التي تعلَّمت القراءة في الكتاتيب طفلة - على الكتب المطبوعة في كلكتا وحيدر أباد، حتى كادت أن تحفظ «قصص الأنبياء» و«الإصابة في تمييز الصحابة» عن ظهر قلب، هزَّتها سير الأنبياء والصالحين وخلخلت قناعتها بالحياة الأرضية الوادعة، حَكَت لبنت عامر، وهي تبكي، حكاية الصحابي الذي بُتِرت رجله في الصلاة فلم يشعر بها. حزنت لأنها لن تصل أبدًا إلى تلك الدرجة السامقة من الخشوع، أُوقِد بداخلها نور غامض نفضَت في تتبُّعها له اهتمامًاتها الدنيويَّة الصغيرة، واستغرقت سنوات ثلاثينيَّاتها في مجاهدات شتّى بُغية الوصول لمنبع النور.

وعلى حين غرَّة، والثُّريَّا على مشارف الأربعين، وزوجها يستعدّ وهو في الخمسين لرحلة الحج، كإشارة إلى تتويج حياته واختتامها بالعمل الصالح، استيقظت، ذات صباح، لتكتشف أنّها حامل، وهي الجدّة ذات الأحفاد الذين يدرجون الآن في مزرعة ما في بروندي، أحسّت الثُّريَّا بالخجل والحرج، لكنّ سلمان استبشر بحبلها، ورأى أن دنياه مازالت في وسع، فأجَّل عزمه على الحج إلى قابل الأعوام، واستعدّ بفرح لاستقبال وليده الجديد.

عانت الثُّريَّا مخاضًا عسيرًا، وكاد سلمان أن يحطِّم باب الداية حتى رافقته بعد منتصف الليل لإنقاذ امرأته والجنين، انقضى يومان قبل أن يخرج الوليد إلى العالم من قدميه.

قرّبته الداية من وجه الثُّريّا المتعرّق، فرأته غايةً في القبح. أشاحت بوجهها، رفضت أن تفتح ذراعيها له، لم تحمله ولم ترضعه. قالت الجارات: «الثُّريّا سخطت ولدها».

اشترى زوجها الشاة تلو الأخرى، عصروا الأثداء الهزيلة في قواقع ضخمة تنتهي بجزء مدبَّب تتلقّفه فم المولود، لكنّه لم يكتفِ وظلّ يبكي طوال الليل والنهار.

قدَّرَتْ جدّتي ـ التي كانت تصغر الثُّريّا بعشر سنين ـ أن صديقتها قد أصيبت بالجنون الذي يصيب بعض النساء من أهوال الولادة، فضمَّتْ الوليد إليها.

تهامست النساء أن بنت عامر، التي لم تتزوَّج ولم تلد قط، قد تفجَّر الحليب من صدرها لولد الثُّريّا، وأن حليبها من الوفرة بحيث إنّها تسكبه في التراب بعد أن يشبع الولد، وإنَّ سلمان قد كفَّ عن شراء الشياه الحلوب لابنه مذ ضمَّته بنت عامر، ولم تفلته من حضنها. أمّا جدّتي، فلم تقل شيئًا، ازدهر الرضيع في حجرها وتورَّد، وتوقَّفت نوبات الحمَّى والبكاء. كان سلمان قد أسمى الولد «صالح»، لكنَّ جدّتي قالت إنّ الاسم ثقيل على الولد، وأنَّ نجمه وهذا الاسم لا يتوافقان، فلا بدّ من تغييره. فوَّض لها سلمان الأمر، مدهوشًا باستكانة الولد إليها، فأسمته «منصور».

شُفيت الثُّريّا بعد ثمانية أشهر، ضحكت جدّتي عندما أخبرناها أنّ ما عانت منه جدّتنا الحقيقيَّة التي لم نرها ولم نعرفها، إذ ماتت وهي في أوائل الخمسين كمدًا على زوجها بعده

بأقلّ من سنة، هو اكتئاب ما بعد الولادة، ضحكت جدّتي على كلمة اكتئاب، وكرّرت لنا قصّة جنون الثُّريّا وسخطها لولدها.

حتى بعد شفائها وتقبلها لابنها منصور، لم تتدخَّل الثُّريّا لتغيير واقع الحال، فكبر أبي وهو يعتقد أنَّ له أُمَّيْن وأبًا واحدًا، تمامًا كما كبرنا من بعد، ونحن نعتقد بأن لنا أُمَّيْن: أمي، الغارقة في حسراتها ويأسها من إجهاضها المتكرِّر، وجدّتي الغارقة في تفاصيل حياتنا وتربيتنا.

الحَيَاةُ طَائِرَة وَرَقِيَّة

نشأت «كحل» أخت سرور في وفرة من المال، وتزمُّت من العيش، لم يكن مسموحًا لها بارتداء أيّ نوع من الأحذية غير أحذية كلاركس ذات الكعوب المستطيلة، ولم تلبس أي بنجابي غير تلك المفصَّلة عند خيَّاط العائلة، الذي كان أبوه خيَّاطًا لجدَّتها، وحين قرَّرت مع سرور ارتداء الحجاب توارت أمهما خجلاً من الأقارب، الذين كانوا يسافرون إلى لندن خصّيصًا لصبغ شعورهم وقصّها. درست في مدرسة إنجليزية في كراتشي، وحين تخرَّجت، أرسلها أبوها إلى إنجلترا لدراسة الطب من دون أن يستشيرها. نشأت كحل على أن الخيارات في الحياة محسومة سلفًا، وأنَّ جسدها ـ كما يلبس ما يليق به ـ سيأخذه من يليق به، لم يدر بخلدها أن جسدها نفسه قد يرغب في أن يُؤخذ، ولم يخطر لها إطلاقًا أنه سيطلب خاصّة «من لا يليق به».

حين رأت عمران لأوَّل مرّة، كان مُكبًّا على صحن البرياني

٤٦

في كافتيريا المسجد يأكل بيده، بقيت كحل تحدِّق فيه وهو يلعق أصابعه بعد انتهائه، ولدهشتها لم تشعر بالتقزّز أو الحرج، بل برعشة خفيفة في ساقيها، وقد مرّ وقت طويل قبل أن تفهم أنها رغبت فيه على الفور.

كانت حياتها مثل طائرة ورقيَّة، ترفع رأسها تراقبها، والهواء يطيّرها بعيدًا بعيدًا، كانت تظنّ في البدء أن الخيط في يدها، أن هذا الخيط النحيل سيتحكَّم بالطائرة، لكنّ الطائرة الورقيَّة منفلتة بعيدًا عن قبضتها، عن خيطها الواهي، طائرة بعيدة، ومحلِّقة، ترتطم بعمود إنارة، تعلّق في لاقط هوائيّ، تتمزَّق في أسلاك شائكة، وقد تعود للأرض وتتمرَّغ في التراب.

تساءلت لماذا يبدو البشر من حولها ممسكين بخيوط طائرات حياتهم الورقيَّة؟ ممسكين أم متمسِّكين؟ متمسِّكين أم مستمسكين؟ لماذا أُعطي كل إنسان خيط طائرته على الرغم من أنَّ قبضات الناس متفاوتة في قوَّتها؟ قبضتها هي على الأقلّ جرحها الخيط الرهيف لطائرة حياتها الورقيَّة فأفلتته.

أمّا سرور، فقد فرغت من الإحساس «بالقذارة»، ومن تحمُّل وطأة كتمان عشق أختها، فقد قرَّرت الأخت أن تواجه والديها بالأمر وتجعل زواجها رسميًا وعلنيًا ودائمًا، ولن تضطرّ سرور للتخلِّي عن غرفتها للعاشقين، وقضاء الوقت في تخيُّل ما يفعلانه في سريرها الضيّق، البريء.

الأَلقَاب

وُلِدَ «صالح»، الذي أصبح «منصور»، والذي سيصبح أبي، بُعَيْد الحرب العالمية الثانية. كانت موجة جديدة من الغلاء قد اجتاحت البلاد، وتجدَّدت أسراب المهاجرين إلى أصقاع الأرض بحثًا عن الرزق الشحيح، ولم يبقَ لأبيه سلمان من أملاكه غير الدكّان والبستان. لم يكُفَّ الطفل المسخوط من أمّه عن البكاء والصراخ حتى ضمَّته بنت عامر إلى جناحها، ومنحته اسمه الجديد. ظلَّت تخيّط كل دشاديشه بيدها حتى كبر وشبَّ وتزوَّج، وظلَّت تنتقص من نصيبها من أرزّ الغداء وخبز العشاء ليزيد نصيبه، حتى بعد أن عاد اليَسار إلى العائلة، ولم يعد سلمان يقفل بنفسه الصندوق الحديديّ الذي يضمّ شوال الأرزّ وأكياس الطحين وعلب السكّر والقهوة والشاي، ويحتفظ بالمفتاح في جيبه، ليفتح لبنت عامر الصندوق وقتي الغداء والعشاء ويكيل لها الأرزّ والطحين الذي ستطبخه وتخبزه لغدائهم وعشائهم.

٤٨

كان سلمان يناديها «بنت عامر»، وكذلك فعلت امرأته الثُّرَيّا، والجارات. أمّا منصور فكان يناديها «ماه»، وكذلك فعلنا نحن أولاده. وقد ظلَّت طوال سنوات حياتها الطويلة في بيت سلمان، وبصرف النظر عن تعاقب أوقات الرخاء والشدَّة، لا تتوقَّف عن الخدمة في المطبخ والبيت، وكأنَّما قَرَّ في ضميرها أنَّ هذا كان سبيلها الوحيد لوفاء دَيْن استضافة هذا البيت لها. لم تنسَ لحظة أنه ليس بيتها، ولم تغفل لحظة أنها ـ وإن كانت في الواقع تقوم بكل شؤون البيت وتربِّي الطفل ـ ضيفة، ولم تكلَّ عن جعل ضيافتها مُستَحَقَّة بالخدمة لا بالتفضُّل.

هل أبهجها منصور؟ كان يخبخب وراءها كل فجر، وهي توازن الجحلة الفخارية على رأسها، وتمشي حتى «الشريعة»، المنبع الرئيس للفلج، لتملأ جحلتها بالماء، ويغمس منصور قدميه في الفلج ليصنع الدوَّامات، ثم يجتهد للحاق بها، بخطواتها الواسعة وهيكلها الفارع، وقد عَلِق ندى الفجر في ضفائره التي واظبت على تضفيرها له كل يوم حتى بلغ الثانية عشرة ولم يمسّه الحسد، فأخذه أبوه من يده، وقال له وهو يجزُّ شعره كلَّه: أصبحت رجلاً يا منصور، وسنذهب بعد سنوات قليلة معًا إلى الحج.

لم يعبأ منصور بقصِّ شعره، ولم يحلم بالحج، ولن يذهب إليه مع أبيه قط، فقد مات سلمان بعد سنين قليلة غريبًا في مومبي، ودُفِن هناك حين سافر إليها لعلاج صدره من ضيق يكبس عليه.

خرج منصور، برأس حليق إلى الحارة، ليكمل استعراضاته أمام أقرانه. كان يتفنَّنُ في جمع العقارب، ثم يشمّر ذراعيه ويجعلها ممشى لها، وكان الصبية يصفِّقون ويصفِّرون، ولا عقرب تلدغ منصورا، وشاع بين أقرانه، أنَّ أمّه بنت عامر، أغرقت عقربًا بحليب صدرها حين كانت ترضعه، فمن يومها لا تؤذيه عقرب، وقال آخرون إنها «شطبت» ذراعه؛ أحدثت فيها جرحًا طوليًا، ورشَّت في الجرح مسحوق عقرب مجفَّف، وخاطته ثانية، فلذا تسالمه العقرب.

تفرَّغت الثُّريَّا للعبادة، عكفَتْ على حفظ القرآن، وواظبَتْ على قيام الليل، في حين نهَضَت بنت عامر بشؤون البيت. حين كان منصور دون الثانية، كان يتبوّل أحيانًا على التراب الناعم في الحوش، فتتألَّم الثُّريَّا لتنجُّس المكان الذي تفضّله لصلاة الفجر، وجلسات الضحى مع الجارات، فما يكون من بنت عامر إلَّا أن تحضر مجرفة، وتقتلع كل التراب النجس، صانعة حفرة صغيرة مكانه، ما تلبث أن تُردَم بتراب طاهر، وتأخذ منصور إلى الفلج لتحمِّمه، وتقرص أذنه، مذكِّرة إيّاه بضرورة أن يناديها حين يرغب في التبوُّل لتأخذه إلى الحمّام. ولم يكن الحمّام في الحقيقة غير بناء طيني ضيّق في أقصى البيت، به شقٌّ مستطيل لقضاء الحاجة وإناء حديديّ للاغتسال. كانت بنت عامر تملأ الإناء دوريًّا من الفلج المار في جنوب الحوش، قبل أن يكمل تدفُّقه في بيوت الجيران، حتى يصبّ أخيرًا في بساتين النخيل وفق نظام صارم مرتبط بحركة الشمس، تحدِّده ساعة الظلّ المنصوبة وسط البساتين.

كل بضعة أشهر، سيأتي «شامس» ليفرغ البالوعة التي تكوَّنت في الحفرة الواسعة أسفل الشقّ المستطيل في الحمَّام، مقابل قرش واحد، وقد اعتاد الناس على تسميته بـ «شامس براز»، لكنّ منصورًا لم ينادِه هكذا إلَّا مرَّة واحدة فقط، سمعته فيها أمه الثُّريَّا، فدعكت قرن الفلفل الحارّ في لسانه، ليتأدَّب عن نبز الناس بالألقاب.

العَذْراء

كانت عتمة وكنت سابحة في موجة طيفيّة بين النوم واليقظة حين أيقظني صراخ البنت النيجيريّة.

إنه طقس متكرِّر، يضايق بعض الطلبة ولا يكترث أغلبهم. أسوأ ما حدث لها كان حين حطَّم طالبٌ مُهدَّد بالطرد من الجامعة إن لم ينجح في الاختبارات النهائية بابها، واقتحم عليها وشريكها الغرفة وربط فمها بقميص أحدهما. كانا يرتجفان عاريين من الذهول والذعر حين تمكَّن الطالب من الكلام ليقول لها إنَّه محتاج للتركيز في مذاكَرته وإنها ليست في غابات بلادها. يقال بأنها قدمت ضدَّه شكوى رسميَّة اتَّهمته فيها بالعنصرية، ويقال بأنَّها سكتت مقابل أن يصلح بابها الذي حطَّمه.

لم أستطع العودة لموجتي الطيفيَّة. ملأ وجه جدّتي العتمة وأنارها بضوئه الشاحب، هذا الفم، هل كان فتيًّا قط؟ لم أرها إلَّا وهي عجوز ولم تُلتقط لها أيَّة صورة قبل أن تنمو التجاعيد.

٥٢

لقد نمَتْ كلّها، تجعيدة تجعيدة، حول فمها المزموم بكدح الحياة، نمت التجاعيد قبل أن تمرّ إصبع رجل أو شفته على الجلد الأملس، جفّت شفتاها قبل أن تمسَّها شفتا عاشق أو زوج، انزوى وجهها وانسحب ماؤه دون أن يتملَّى فيه رجل واحد على وجه البسيطة، لم ينظر شاب في عينها الصحيحة وهي شابّة ليرى الذكاء والتصميم والسحر، لم تمرّ إصبع مشتاقة على حاجبيها قبل أن يتحوّلا إلى البياض، ولم يمدّ رجل، أيّ رجل، يده إلى شعرها ليفرقه أو يرفعه أو يتنشّقه. اشرأبَّ جسدها الفاره كنخلة أو فرس، وذبل كشجرة طاعنة دون أن يراه مخلوق، غير الأطباء الذين كشفوا ساعدًا متغضِّنًا ليغرسوا فيه حقنهم، ومغسلات الموتى اللاتي كشفن الجسد الثمانينيّ، جسد جدّتي العذراء.

هاتان الساقان الطويلتان، كم نمنا عليهما أنا وإخوتي، كم تمرجحنا عليهما، وكم احتملتا من قذارات طفولتنا المبكرة، قبل أن تجرَّنا للتدريب على الحمّام كما درَّبت أبانا من قبلنا. ساقان طالما اختبأنا خلفهما من سوط أبي، وصياح أمي، طالما درنا حولهما لنراوغ سوطًا أو زجرًا، كثيرًا ما سقط خطأ على الساقين بدلنا. ساقان لم تعرفا غير هذا الحب، لم يتدفّق عطاؤهما لغير الأطفال، لم يشتههما رجل ولم يكونا لغيرنا قط.

وهذا الصدر الذي نمنا فيه كلنا حتى كبرنا، هل أرضع أبانا حقًّا؟ لقد تبرعم مذ لاحظه صاحب الدكّان في عشرينيّات القرن المنصرم، وازدهر ليكون بيت أبينا وبيتنا، ثم سقط وذبل دون أن ينكفئ على نصاعته رجل، ويسكن في دفئه لهاث.

٥٣

اجتاحني الاضطراب الذي غشيني حين التفَّتْ حولها المغسّلات يجرّدنها من ثيابها، «لا تجرِّدوها، استروا ما سترته في حياتها»، غشيني الاضطراب وساقوني إلى درج قريب لأرى المشهد من بعيد، لأرى جسد جدّتي تحت رحمة الأيادي الغريبة، هي التي لم تمتدّ يد إليها طوال حياتها المديدة. وضعت امرأة يدها على كتفي: «اطمّني يا زهور، بنسترها بالأردية».

قالت لي أختي سميّة فيما بعد إني كنت أتخيَّل، لم تجرَّد من ملابسها إلَّا خلف الستور، ولم يغسلها غيرنا وبعض المعاونات. نحن فقط. أحفادها الذين لسنا أحفادها. نحن الأغراب بالدم، نحن غسَّلناها، «وأنت يا زهور كنت تصرخين في الناس فأخذوك بعيدًا». أختي هي التي تتخيَّل. أنا رأيتهم يمزّقون المصرّ عن شعرها المكنون، فتطايرت أمواجه البيضاء في كل مكان، شعرها الذي لم نغسله ولم ندهنه إلَّا لِمامًا بعدما عجزت عن غسله وتطييبه. ها قد طيَّبوه يا جدّتي. طيَّبوه يا ماه بالعود والمسك والكافور، طيَّبوه كما لم تحلمي أن نفعل في سنيكِ الأخيرة على الأرض الغدّارة، طيِّبوا موجك الأبيض الذي لم يستظلّ بظلّه زوج؛ الولد وولده استظلُّوا به.

لم تكن جثَّتها تشبهها. كانت تشبهني أنا.

حين مدَّدوا جثمانها وسط صالة بيتنا، رأيتُني.

زحفتُ مبتعدة، عنها، عنِّي، عن جثَّتي الممدَّدة لينوح عليها المحبُّون.

لم يكن ثمَّة محبُّون غيرنا. منصور وامرأته وأولاده وحسب.

وكل من التمَّ علينا جاء للمجاملة.

جاءت الجارات بلا صوت. جئن لطمأنتنَا أنّنا قمنا بواجبنا في احتمال ضعف العجوز ومرضها في سنينها الأخيرة. قلن لأمي: «ما قَصَّرتِ». قلن لي ولأختي: «ما قَصَّرتن». قلن لأبي: «ما قَصَّرتْ». كأنها ليست أمه، كأنها ليست أم أولاده، كأنها طوال عمرها لم تكن إلّا تلك العجوز التي تزحف، وتصيح: «لا تذهبوا، لا تذهبوا».

لو عاشت جارتنا شيخة لبكَتْ، لقد أحبَّت جدّتي، لعلها حدست، حتى في خرفها، أنها المخلوق الوحيد المتعاطف معها، في السنين التي سبقت متاهات عقلها. كانت شيخة تأتي كل ضحى لتشرب القهوة مع جدّتي، لم تكن تحمل في يدها قطعة ثوب لخياطتها، أو كمّة لتطريزها، كما تفعل الجارات، كانت يداها خاليتيْن دائمًا، ومستعدَّتيْن دائمًا لمعاونة جدّتي في تنقية الرطب، وإزالة نوى التمر، وريِّ الزرع، وتفصيص الثوم، وتقشير الليمون اليابس. كانت لا تحكي إلّا عن ولدها، الملاك الذي خطفته جِنّيَّة خبيثة لتأخذه إلى الغربة، إلى بلاد الكفَّار، الذين لا يغتسلون من النجاسة، ولا يسألون عن أمّهاتهم.

ثم كبرنا، كلنا، أنا وإخوتي وجدّتي، وجارتنا شيخة. كنت أدرس في غرفتي، نافذتي مفتوحة، فإذا ما رأيت جدّتي، هبَّت فجأة من ظلّ النارنجة وهرولت نحو الباب، عرفت أن جارتنا شيخة جاءت مرّة أخرى بلا سروال، وأن جدّتي سترّدها لبيتها وتُلبسها ثيابها.

ستعود بعد ساعة لظلّ النارِنجَة وهي تلهث، سأقدّر أنّها في السبعين، وأنها أشدّ الناس عزيمة. وفي طريق عـودتي مـن المدرسة، سألتقي دومًا بجارتنا شيخة، وهي تدور في السكك، حافية، يدها ممسكة بفنجان قهوة مليء بالأرزّ المهروس، وستصيح فيّ: «زهور زهور، شفتِ حمد؟ أدوره من الصبح، طلع يلعب وما رجع، ما تغدّى مسكين وأنا هرست له العيش، لو شفتيه خبريه يرجع بيبرد غداه». أهزّ رأسي، وأبتعد، تضحك زميلاتي، تظلّ جارتنا شيخة تدور في السكك تبحث عن ابنها الذي هاجر منذ أربعين عامًا، لتطعمه الأرزّ المهروس في فنجان قهوة. جدّتي فقط هي من تستطيع إرجاعها إلى بيتها، تغطّي الأرزّ بصحن، وتُريها مكان نعليها كيلا تخرج بدونهما مرّة أخرى في الشمس.

لم نشهد موتها. لم أعرف إن كانت جثّتها تشبهها. كنّا في عطلة الصيف في الإمارات، وقد كوفئنا لنجاحنا في المدرسة بحديقة الهيلي للألعاب. لمّا عدنا جذلين بحيوانات بلاستيكية وكُوَر ملوّنة ودفاتر مذكرات بقلوب وردية وأقفال ذهبية، وجدنا باب جارتنا شيخة مقفلاً، وأخبرتنا جدّتي أنها افتقدتها نهارًا كاملاً، فدخلت بيتها المغرب لتجدها ممدَّدةً بكامل ثيابها ونعلاها في قدميها، وحولها بضعة فناجين قهوة بها أرزّ مهروس قد فاحَتْ رائحة اختِماره. كانت ميّتة.

بعدها بأقلّ من عشر سنين، أقفلنا غرفة جدّتي بقفل حديديّ، كانت قد ماتَتْ، وصمتَتْ، وذهبت عن الدنيا كما عاشَتْ فيها؛ بلا بيت، بلا حقل، بلا حبيب يضمُّها، بلا أخ يحدُب عليها، بلا أولاد خرجوا من أحشائها.

٥٦

الغَجَريَّة

لكنَّ جثَّتها لم تكن أوَّل جثَّة أراها.

كانت الغجريَّة هي أوَّل جثَّة أراها.

أحيانًا، تأتيني الذكرى مثل رائحة خفيفة لزهور عَطِنة.

خيام الغجر على أطراف القرية، والمرأة الغجريَّة تزيِّن أنفها بحلية فضِّيَّة ضخمة تتدلَّى منها أهلَّة ونجوم صغيرة، يدها ممدودة وهي تردِّد: سحة بيبيه سحة بيبيه. كنت صغيرة جدًا، كنت أتأرجح على رجليْ جدّتي. تمتمت أمي: الزِّطْيَة! إنها نجسة. قلتُ: نجسة؟! ولكزتني الجدَّة، فسكتُّ. رائحة متلاشية لزهور قديمة، الذكرى البعيدة، رجلا جدّتي الأرجوحة، وأمي تغسل الطبق الذي أكلت منه الغجريَّة التمر سبع مرات آخرها بالتراب. نعم، كانت أمّي تعدّ المرات، وكنت أتأرجح مرَّة في كل رقم. تأرجحتُ سبع مرّات وتعبت الجدَّة وتوقَّفت الأم عن جلي الصحن.

يد الغجريَّة متشقِّقة، وفي ذقنها وشم أخضر، كنت صغيرة
جدًا، ولا أتذكَّر إن كانت الجدَّة أو الأم من ضربتني حين قلت
إني أريد عقد خرز ملوَّن مثل الذي تلبسه الغجريَّة.

خرجت المرأة من بيتنا، كانت تدوس الحصى بقدميها
الحافيتين، أومأتْ لي سميَّة، فخرجنا في أثرها. لاحقناها في كل
الحواري دون أن ترانا، تجنَّبنا أن نطأ آثار أقدامها لأنَّ سميَّة
قالت إن ما تعنيه كلمة «نجسة» هو أننا لا نلمس شيئًا لمسته، ولا
حتى التراب. انتظرناها خلف أبواب البيوت التي دخلتها، وعادت
منها إمّا بتمر في يدها أو بتراب عُفِّرَتْ به ثيابها. تأخَّرت كثيرًا في
بيت حميد الأرمل، حتى كدنا ننساها وننشغل بالمطاردات في
الحارة، ولكنَّها خرجت أخيرًا تشدُّ شالها عليها، وتنظر لعُملة
لامعة في يدها. كان جرس النجوم والأهلَّة المرتطمة ببعضها
البعض في حليتها يجذبني، وكان عقدها الخرز مضيئًا، ولكني
خفتُ أن أقول لسميَّة إني أريد مثله، فتضربني هي أيضا. نادى
علينا الأولاد، فدخلت سميَّة في فريق حارتنا، شمَّرتْ أكمامها
وأمرتني أن أعود إلى البيت لأن عليان وفطُّوم في الفريق الآخر
وسيضربانني، قالت سميَّة إنها لن تستطيع الدفاع عني لأن عليها
مواجهة أشخاص أخطر من عليان وفطُّوم، فعدتُ إلى البيت.

بعد أيَّام، أو بعد ساعات، لا أتذكَّر، فلا وجود للزمن حين
يكون المرء طفلاً، كان شفق الغروب. المغرب صافٍ في ذهني
وليس رائحة متلاشية، مغرب صافٍ وقويّ وواضح كخرز ملوَّن،
مغرب تجمَّع فيه الرجال للصلاة في المسجد، وانهمكت النساء
بإعداد العشاء في البيوت، واكتشف الأطفال الجثَّة.

المغرب صافٍ في ذاكرتي، والجثَّة. الغجريَّة بالوشم الأخضر والحلقة الفضِّيَّة مفتوحة العينين والدم يتدفَّق من صدرها. جلس الأطفال يخلطون الدم بالتراب ويصنعون منه كُرَيَات صغيرة، لكني لم أتحرَّك، رأيت عقد الخرز الملوَّن منقطعًا ومحلولاً قرب عنق الغجريَّة ولكني لم أجرؤ على التقاطه. لا أعرف متى جاء الناس إلى تلك السكَّة الخلفية ومتى طردوا الأطفال. هل عنَّفوهم على كريات التراب والدم؟ هل غضبوا لأنهم تشاغلوا باللعب ولم يخبروا الكبار فورًا؟ لا أعرف ولا أتذكَّر، الذكرى هنا رائحة منتهية، المغرب الصافي يتوقَّف عند هذا الحد.

شُروطٌ لِلحُبّ

كلَّما التقيتُ كحل، ردَّدت على مسامعي أنّهاستصارح أهلها، ستجعل زواجها دائمًا، وعلنيًّا، لكنَّ شهورًا قد مرَّت ولم تتقدَّم خطوة واحدة، كانت في غاية الرعب من المواجهة.

وفي ظهيرةٍ ما، أواخر الخريف، كنّا نرقبُ تساقط ورق الشجر، كأنّنا شهودٌ صامتون على فردوس يُفقَد، كانت سرور، بقوامها الرهيف تجلس في الوسط، وأنا وكحل نميل إلى الاتّكاء، وحين تلاقت عيوننا، رأيت عجز حيلة البشر، كل قيودهم التي يظنُّون أنهم حطَّموها في طريق الارتقاء ومدارجه الشاقَّة، رأيت اليأس، رأيت طائرة كحل الورقيَّة وقد ارتطمت في عشرات الأعمدة في طريقها نحو السماء، وتمزَّقت.

قالت بخفوت، بصوت أقرب إلى النشيج: لو لم يكن حبّ أهلي لي مشروطًا.

٦٠

تحفَّزت سرور: حبّهم لنا ليس مشروطًا.

سكتت كحل قليلاً ثم أكملت: لو لم يكن حبّهم مشروطًا بسيري على درب اختياراتهم...

ضاقت سرور بالحديث، اختلج وجهها، ثم اقترحت فجأة أن نشتري القهوة من صندوق القهوة على الناصية، الذي بالكاد يتَّسع للبائع المرح وأدوات صنع القهوة، أحطنا أكوابنا بكفوفنا؛ القهوة، دافئة ولذيذة وكريمة، تلهَّتْ بها كحل ولو إلى حين.

رأيت طائرة ورقيَّة صنعتها أنا وسُميَّة لسفيان الصغير، قضينا ساعات مع جدّتي في تثبيتها بالبوص الذي جمعتهُ من بساتين البلدة، رأيت أشرطة الطائرة اللمّاعة الطويلة تتألَّق في شمس الخريف البارد، تلمع في عيون كحل، وتلتفّ حول الأصابع الرهيفة لسرور على كوب القهوة. هل كان حب جدّتي مشروطًا؟ إن حبّها موجود ببساطة مثلما يوجد الهواء لأتنفَّس، ومبذول مثلما تبذل الشمس نورها لأرى الطريق، كان حبّها مُستَحقًّا ولم أكن مدينة لها، ولم تكن جدّتي تُشعرني ـ أو تُشعر أبي أو أخي أو أختي ـ بأننا مدينون لها، كنّا نستحقّها كما نستحقّ الحياة.

الغُرْفَةُ البَيْضَاء

جلستُ على كرسيّ جلديّ وثير، جلس هو مقابلي، ليس
مقابلي تمامًا، كان منحرفًا بزاوية ما مقصودة. على الطاولة
الصغيرة أمامي علبة مناديل ورقيَّة في حال هطل البكاء، وساعة
خشبية صغيرة في حال استغرقتُ في الكلام. كانت قطرات المطر
تسبح على امتداد النافذة الكبيرة، وكانت الجدران بيضاء، كان
تقريبًا لا يتكلَّم. كنت أنا أتكلَّم وأتكلَّم وأتكلَّم، وبعد مضيِّ
ساعة، يختلس نظرة صغيرة بريئة إلى الساعة الخشبية بجانبي،
فأفهم، وأنهض شاكرة.

صديقتي كريستين نصحتني بالذهاب إليه. قلت لها إنني
حزينة، وقالت لي إنه في ثقافتها لكل مشكلة حلّ، حتى الحزن.
هذا ما كان. بحثت ـ غير جادَّة ـ عن الحلّ، سجَّلتُ موعدًا،
وقابلته في الغرفة ذاتها بضع مرّات، وفي كل مرّة كانت قطرات
المطر تسبح على النافذة.

لم أحدّثه عن جدّتي. لم أقل شيئًا عن «لا تذهبوا» التي ترنُّ في آخر الليل في قاع جمجمتي، لتذكِّرني بأني ذهبتُ. لم أخبره عن جهلي السبب الذي من أجله كان ظفر إبهامها مشوَّهًا وأسود. لم أسأله عن الخيط الرهيف لطائرات الحياة الورقيّة، وعن الحبل الغليظ، غير المرئي رغم ذلك، الذي يفصل الفهم عن التعاطف.

عمَّ تحدثنا في الغرفة البيضاء، حين كنَّا نعالج الحزن؟ ربّما قليلاً عن أبي وعن أمّي، عن عمران وكحل، عن دراستي، عن فخّ اللغة؟ لم أعد أذكر. هل كنت وقتها على دراية بالفخّ؟ لا أتذكَّر. هل قلت له شيئًا عن إحساسي بالإعاقة بسبب اللغة؟ لا أظنّ. ولو فعلت، فلن يرى الفخّ. لا يرى إني معاقة، إني مربوطة إلى كرسيّ المعاقين: عجز اللغة عن احتوائي. لا لا، لم نتحدّث قطعًا عن الأفخاخ. كان يريد أن يعرف بنزاهة سبب حزني، وكنت مثله؛ أريد أن أعرف.

كان موعدنا كل جمعة. لم أعرف متى يفترض أن تنتهي الجمعات، فأوقفتها من تلقاء نفسي بعد ثلاث أو أربع. قلت لنفسي إن الحزن في النهاية ليس مرضًا، أو لعل تنقيبه في داخلي عن السبب بدا لي بلا جدوى. كان في حمّامات البنات دومًا ملصقات تحثّ على الاتصال بأرقام مجّانيّة لتقديم الاستشارات: «إن لم تجدي من تتحدَّثين إليه فنحن نستمع إليكِ». بعضها تشرح في نقاط محدّدة عوارض الاكتئاب، وبعضها تخصّ الاستشارات الجنسيَّة والحمل غير المرغوب. كانت كلمة الاكتئاب تصيبني بالرعب، فأمي لم تشفَ منه مطلقًا، وأنا خفتُ بشدّة أن أكون مثل أمي، وقد ذكّرتني كريستين مرارًا بما قاله أوسكار وايلد: «كلّ

٦٣

امرأة تشبه أمّها، وتلك مأساتها، وكل رجل لا يشبه أباه، وتلك مأساته». كان أوَّل ما قلته للمرشد النفسيّ في الغرفة البيضاء والنافذة الممطرة: «أنا لستُ مكتئبة».

كنتُ في المصيدة. أظنّ أن فأرًا صغيرًا سيقضم الشبكة حولي ذات يوم، ويحرِّرني. أي فأر، أي قدر، كانت الشبكة تزداد إحكامًا وأنا أنتظر القضمة. قضمة الخلاص. لم أعرف بأني أنا الفأر. لمّا عرفت كانت أسناني كلّها قد سقطت.

الحَطَّابُ والأَسَد

استيقظت فجأة في الليل، كنت نائمة على جنبي وخطرت لي فكرة موتي، داهمني شعور طاغٍ بالفناء، وبأننا مجرَّد ذرَّات في هذا الكون ستعود هباء كما كانت وسيعود الكون منتميًا لسنيه الملايين. أحسستُ بتقبّل عميق لفكرة موتي، كدت أبتسم من شدّة تقبّلي لفنائي، لم أحسّ بأي قلق، ولا حتى بفضول، رغم أن فكرة الكيفيّة والتوقيت خطرت على بالي للحظة، لكنّي كنت في غاية اليقين والطمأنينة، تنفَّست بعمق، كأني تصالحت مع شيءٍ ما، ثم عدتُ لنومي.

قلت لجدّتي وهي تمشّط شعري، وتدهنه بزيت جوز الهند تحت ظلّ النارنجة: «ليش طردك أبوك وأنت صغيرة؟».

ضفَّرتْ شعري ضفيرتين، ثم أدارتني بمواجهتها، وقالت: «يا زهور، الله لما يأخذ شيء من العبد يعوّضه شيء».

٦٥

قلت لها: «لكن لو طردني أبوي ما يعوّضني أي شيء».

فمسحت على رأسي وطمأنتني: «منصور ما يفعل هذا».

نمتُ على ساقيها، فحكَتْ لي حكاية: «كان هناك حطّاب له زوجة تعذّبه، وكان يصبر عليها، ويذهب ليحتطب من الصحراء، وكلّما انتهى حاطبًا أتاهُ أسد، وهو يحني ظهره، فيضع الرجل الحطب على ظهر الأسد الذي يحمله عنه حتى يصل إلى بيته. وفي يوم من الأيّام، ماتت زوجة الحطّاب، واستراح من أذاها، لكن لما ذهب ليحتطب لم يأته الأسد، فأخذ الرجل يبحث عنه حتى جاءه ملك من السماء، وقال له: كنّا نعوّضك بالأسد عن صبرك على أذى امرأتك، والآن ماتت، فاختفى الأسد».

لمّا ماتت جدّتي ماتت النارنجة، ظلّت تذوي يومًا بعد يوم إلى أن تيبّسَتْ تمامًا. عبثًا تناوبنا على ريِّها، غيّر أبي التراب من تحتها، اشترى سمادًا جديدًا، استعان العامل البنجالي بأصدقائه العاملين في المزارع، أفرغوا خبراتهم فيها، ولكنَّها لم تستجب لأيّ محاولة، كانت النارنجة قد عزمت أمرها، وقبل أن يجفَّ قبر جدّتي، كانت قد كفَّت عن شرب الماء وتنفُّس الهواء وبدأت تنشر رائحة عطنة، رائحة الوداع.

لماذا جاءت الحكاية بالمقلوب؟ لماذا لمّا ماتت جدّتي اختفى الأسد رغم أنها جدّتي الطيّبة؟ هل كانت جدّتي تعرف أن النارنجة التي زرعتها بيديها هي الأسد الذي سيذهب حين تذهب؟ لكنَّ الحكاية مقلوبة هكذا، تتراكم فيها الخسارات ولا تعويض، لا تعويض يا جدّتي.

الدينَامُو

في إحدى الجمعات، في الغرفة البيضاء والنافذة الممطرة، في المرَّة الثانية أو الثالثة؟ أتذكَّر فقط أنها الجمعة التي عرَّفتني فيها كحل على عمران، زوجها.

في تلك الجمعة، أخبرت المرشد النفسيّ عن سميَّة، أختي. أخبرته عن لقبها في العائلة: «الدينامو»، لأنها منذ خرجت من بطن أمي لم تتوقَّف عن الحركة، في صغرنا إن لم تكن تنطّ الحبل، أو تلاحق القطط، أو تطارد السحالي، أو تنصب الأفخاخ للطيور، أو تتزحلق على التلّ الصغير خلف البيت، أو تتسلَّق الجدران والنارنجة والنخلات الفتيات، فإنها ستكون تثرثر وتضحك بأعلى صوت.

كانت سميَّة أكبر مني، وحين انتقلت إلى المرحلة الإعدادية، ارتأى أبي أنها كبيرة بما يكفي ليخصّها بجهاز تسجيل بسمّاعات ضخمة من سوني، ولمّا ذهبنا إلى الإمارات ذلك الصيف، اشترت

٦٧

بكل مصروفها شرائط كاسيت لسميرة سعيد وعمرو دياب.

رفع المرشد النفسيّ حاجبيه الأشقرين، فقلت له: لا عليك،
إنهما مطربان عرب. لا تعرفهما، لكنهما كانا هوس سميّة، فقد
ظلّت تستمع إليهما ليلاً ونهارًا، وهي ترقص في غرفتها الصغيرة.

قال لي بصوته الذي تدرَّب جيِّدًا كما يبدو ليصنع منه صوتًا
متفهِّمًا: وكيف كانت علاقتكما؟

ضحكتُ فجأة: أنا وسميّة؟ دعني أشرح لك شيئًا، سميّة أوّلاً
ثم إجهاض، ثم أنا، ثم إجهاضان، ثم سفيان، ثم إجهاض آخر.
ثلاث سنوات بيني وبين سميّة وست سنوات أو سبع بيني وبين
سفيان. ست سنوات لا يمكن تجاهلها، أما أنا وسميّة، فلم نأبه
كثيرًا للسنوات الثلاث هذه التي تفصلنا، كنّا نتشاجر أحيانًا، ولكنّنا
نضحك دائما. كنت أذهب إلى المدرسة الابتدائية ظهرًا في حين
تذهب هي إلى المدرسة الإعداديّة صباحًا، وحين أعود المغرب،
أجدها تنتظرني على دكّة البيت، فنحكي لبعضنا البعض كل ما
حدث في المدرسة ذلك اليوم. لم أكن أستطيع مجاراتها في النطّ
والتسلُّق والتزحلق، ولا في الرقص بعد ذلك، ولكنِّي جاريتها
بمهارة في ابتكار الألقاب المضحكة للمعلمات، فمعلِّمة العلوم،
التي تلبس على الدوام فستانًا أخضر هي «ضفدع كامل» من برنامج
افتح يا سمسم، ومعلِّمة الحساب، الضخمة، هي «المندوس»، أما
معلِّمة الرسم الضئيلة فالبطّة تويتي، وكنا نغيِّر الألقاب أحيانًا...

قاطعني لأول مرَّة: تتحدَّثين عنها بصيغة الماضي، ماذا حدث
لها؟

ابتسمتُ له: انتَهَتْ.

في الواقع لم أقل عن سميَّة إنها انتهت، أردتُ أن أقول
ذلك، لكني سقطت في فخّ اللغة. اللغة الأخرى. لعلِّي قلتُ شيئًا
من قبيل: «انطفأت»، أو «ذَوَتْ»، لكن ما كان يتردّد بداخلي هو:
انتَهَتْ، سميَّة الدينامو انتَهَتْ.

تمنَّيت أن أجري في المطر، أن ألحق بكحل وعمران في
المقهى الصغير، «مقهى القرود الثلاثة»، الذي أصبح فيما بعد
مقهانا الأثير، أن أخبرهما أن سميَّة الدينامو انتَهَتْ، وأن جدّتي
ماتَتْ ولم تملك حقلاً ولا حتى شجرة.

الرِّحْلَة

حين قال زوج سميَّة إنهما سيذهبان ، في اليوم التالي ، في رحلة إلى مسفاة العبريين، لم يكن يستشيرها أو حتى يخبرها، كان يقول ذلك لتفهم أنَّ عليها أن تستعدّ.

منذ الأسابيع الأولى للزواج، أدركت سميَّة أنه لا يمكنها أن تتحاور أبدًا مع زوجها، فهو المركز وأيّ شيء في العالم يقع على طرفه يستحيل أن يراه أو يسمعه أو يفكِّر فيه، أي شيء خارج ذاته يعدُّ من الأطراف البعيدة عن بؤرة اهتمامه، ومبكرًا جدًّا أيقنت سميَّة أنها طرف بعيد.

في صباح الغد، أعدَّت سميَّة السندويتشات وترمس الشاي بالحليب، لبست قميصًا أزرق حتى الركبتين وبنطلون جينز، وقبل أن تلفّ الشيلة على رأسها، أمسك زوجها بوجهها وضغطه بقوّة بين كفَّيه، لم تتأوَّه سميَّة. ضحك: «حلوتي القوية. دميتي الجميلة»، انتظرت حتى يفلت وجهها ثم أكملت لبسها وجلست في السيارة بانتظاره.

كان صباحًا منعشًا أواخر فبراير، وكان مزاج زوجها حسنًا.

في الطريق، دندن بعض الأغاني القديمة لسالم الصوري، وتحدّث عن ذكرياته حين كان طالبًا في أستراليا، ووصف بمرح أجساد البنات اللواتي كنَّ يتهالكن عليه.

كان صباحًا منعشًا على الرغم من تقدُّم النهار، وأغمضت سميَّة عينيها إذ خُيِّل إليها أنها تسمع أصوات طيور عذبة.

هزّها من كتفها، ففتحت عينيها. قال لها: لا تنامي وتدعيني وحدي، لم أتزوّج وأضحِّ بحرِّيَّتي من أجل صنم لا يتكلّم.

اختفت أصوات الطيور. حدَّقت سميَّة في أظافرها، كانت قصيرة ومقصوصة بشكل دائري.

أوقف السيارة، اختار شجرة ووقف مستندًا إليها بانتظار أن تفرش سميَّة الحصير، وتصبّ الشاي. جلس قبالتها وبدأ يأكل. لم يكن ورق الشجرة يتحرّك وقد هبطت كثافة الظهيرة بغتة، وأصبح الضوء باهرًا، ثغَتْ شاة، ثم تبعها قطيع، ثم ظهرت راعية تصفُر بطريقة خاصة للشياه لتجمعها.

ابتسمت سميَّة للراعية لكنَّها لم ترها. عرف زوجها أنها حين ابتسمت كان ذلك من أجل موضوع خارجه هو، طرفٌ بعيد عن مركز ذاته، مجرّد راعية تافهة تجعلها تبتسم، ترك السندويتش وبدأ يرشف الشاي.

انتبهت الراعية لهما، كانت ترتدي دشداشة زرقاء رثّة ونعالاً ممزّقة، لكنّ أسنانها وهي تبتسم لسميَّة بَدَت في غاية البياض، لوَّحت لها سميَّة، فقذف زوجها كوب الشاي على جذع الشجرة.

تراجعت سميَّة في جلستها إلى الوراء، نبضت العروق على صدغيه وهو يقترب منها: «أنسيتِ أني أحب الشاي ثقيلاً؟ هذا

٧١

الشاي بلا طعم، ألا تفهمين؟».

في أيّام الزواج الأولى، كانا في تايلند لقضاء شهر العسل،
حيث رمى ثمرة الباباي على الشرفة الزجاجية لغرفة الفندق،
ونبضت عروق صدغيه، لكنه لم يرفع صوته. ذهلت سميّة
العروس، وحين حاولت مناقشة الحادثة معه أسكتها بقبضة يده
على فمها.

قبل أن يعودا من تايلند، كان قد كسر مزهريّة وطبقين وكوبًا
والإصبع الأصغر في يدها اليمنى.

ظلّ يقترب منها بهدوء وظلّت تتراجع حتى اصطكَّ ظهرها
بلحاء الشجرة وجرحت بقايا الكوب الزجاجي يديها. حينما يكسِّر
الأشياء وتنفر العروق الزرقاء في وجهه، كانت تعي أن كلمة واحدة
منها ستجعلها الموضوع القادم للكسر. لم ينجح تكرار الرعب في
تخفيفه، كانت تتمنّى أن يصرخ لأنها ظنَّت أن الصراخ سيطلق
ساقيها وستهرب، غير أنه لم يرفع صوته قطّ.

كانت عيناه حمراوين وأنفاسه تلفح وجهها وكانت سميَّة
ترتجف وتلتصق بالشجرة أكثر وأكثر. هبَّت نسائم فجائيّة حملت
رائحة روث الشياه، نعق غراب من بعيد، خرخَشَت دحرجة
الحصى أطراف الحصير. حين تراجع عنها زوجها، كانت سميَّة
قد بلَّلت ملابسها.

نظر إلى البقعة في بنطلونها بدهشة، أحضر مناديل ورقيَّة من
السيارة. حاول تجفيف بنطلونها ومسح يديها الملطَّختين بالزجاج
والدم. احتضنها، همس لها: «لا تخافي يا دميتي، أنا زوجك،
أنا حبيبك، لا تخافي».

٧٢

الهَنَاءَة

رأيتُ جدّتي تهبط السلالم متوكِّئةً على عصاها، فأشفقتُ عليها من الانزلاق وسارعت إلى معاونتها.

اتّكأت عليّ. قالت لي شيئًا كأنه: أنتظرك.

قلت لها: من زمان ما شفتك. اشتقتك.

قالت: أنا أشوفك.

ثم كرّرت لها الكلام، فسكتت، ولما هبطنا السلالم، قالت: أنا لا أسمعك، فرفعت صوتي ولكنَّها أشارت برأسها أنها لا تسمعني. أحسست أنها شاخت أكثر. قالت: بقي الكثير لنصل؟

قلت لها: القليل. لكن ممكن نرتاح إذا تريدي، فجلست وأجلستها في حجري. رأيت شعرها وقد تجمَّدت عليه طبقة كثيفة من الطين، انصدمت من وصول الحال إلى هذا المبلغ، فأخذت أحتُّ الطين اليابس عن شعرها فيتساقط، أجهشتُ في بكاء حادّ

فأحسّت بي وسالت دموعها. سألتني: ايش هناك؟ قلت: ما
شيء.

لقد رأيتُ هذا الحلم من قبل.

لقد رأيته في الليلة التي عادت فيها أختي سميّة العروس إلى
بيتنا. ولكن في تلك المرّة حين كانت جدّتي تسألني في الحلم:
ايش هناك؟ كنت أجيبها: انهار عالمنا اللي كنت توازنينه على
رأسك كالجحلة.

في تلك الأيَّام، رجعت أختي سميّة من شهر العسل في
تايلند، وجاءت بحقيبتها إلى بيتنا.

قالت لأبي وأمي: «ما أرجع معه».

قال أبي: «ايش ناقدة عليه؟»

قالت سميَّة: «يخوِّفني».

بقيت أيَّاما في بيتنا في بكاء وقلق. ثرثرت الجارات،
لاحقتها الأسئلة الفضوليَّة، جاء أهله للتفاوض.

لم تعرض عليهم سميَّة إصبعها الأصغر المكسور، طأطأت
رأسها وعاشت في صراع.

جاء هو، قبَّل قدميها تحت مرأى ومسمع والديَّ
المدهوشَين، قال لهما: إنها ملكه وإنه ملكها، ولن يعيش لحظة
بدون امرأته حبيبته.

جرجرت سميَّة حقيبتها خارجة من بيتنا للمرّة الثانية.

لكنها عادت بعد شهر راجفة، فعاد متوسِّلا، هدَّدها بإيذاء

نفسه، صفَّ الهدايا ونثر الورود من باب بيتنا حتى باب غرفتها، فذهبت معه، جعلها تدور حول ذاته كما تدور الأفلاك حول مركزها، ولم تنقضِ سنة واحدة حتى فقدت لقبها «سمية الدينامو» وأصبحت سميَّة فقط.

حين كانت ماتزال سميَّة الدينامو رقصت فرحًا بخطيبها الوسيم، جلست بجانبه على الكوشة المزيَّنة، فأحسَّت بالهناءة قريبة منها حتى تكاد تُلمَس.

غير أن أيَّام الخطوبة القصيرة انقضت في انتظار الهناءة القريبة، تكاد تراها، تكاد تلمسها، تكاد تستوقفها، تكاد تربت على كتفها لتلتفت إليها، ولكن انتظارها الهناءة بات يشبه انتظارها القطرة التي انزلقت من حافَّة كوب، كوب ليس لها.

لسانها ممدود أسفل الكوب، ترى القطرة وهي تتزحلق من حافَّته، لسانها متأهِّب، يكاد يشعر بلذعتها قبل أن يتشرَّبها، لكنَّ القطرة تمرق ببطء، القطرة ثقيلة، وجدران الكوب تتشرَّبها شيئًا فشيئًا، حين تصل لقعر الكوب، حيث لسانها المترقِّب، تكون قد تلاشت تمامًا وأصبحت جزءًا من الكوب.

قالت سميَّة لنفسها: لعلَّ قطرة الهناءة ستنزلق إلى جوفي مباشرة بعد العُرس. فكان العُرس.

بعد أكثر من سنة، في رحلتهما إلى المسفاة، خالجها إحساس مبهم بأن زوجها سينزلق على حافة البركة، تلك الورقة الصغيرة الصفراء المبتلّة المتساقطة من شجرة المانجو ستزحلقه. جمَّدها هذا الإحساس في مكانها. ظلَّت ترى في مناماتها

الخطوتين اللتين تفصلانهما، هو يمشي بكتفين مرفوعتين كما هو أبدًا، وهي تمشي بكتفين منكفئتين كما هي أبدًا. نعاله الجلديّة مبتلّة وحذاؤها الرياضيّ جاف. في مناماتها يظلّان ماشيين على حافة البركة، والخطوتان بينهما خطوتان، لا تصغران ولا تكبران، لكن هذا كان رهن منامات تتلاشى.

في الحقيقة، كان زمن الخطوتين برهة واحدة، لم تمشِ بعدها أي خطوة، تجمَّدت هناك، تجمَّدت إلى الأبد.

وَرَقةُ شَجَرةِ المَانجُو

بقيت سميَّة عند الشجرة حتى جفَّت ثيابها. أرادت أن يعودا لتستحمَّ، وأصر هو على إكمال الرحلة إلى مسفاة العبريين زاعمًا أنه لا أثر لأيّ رائحة فيها بعدما جفَّفتها شمس الظهيرة.

لم تجادله. لفَّ هو الحصير وأخذت هي الكوب السليم مع ترمس الشاي، تركا باقي السندويتشات لتأكلها الحيوانات وانطلقا بالسيارة.

نظرت سميَّة باستقامة أمامها طوال الطريق، كان الأصيل رائقًا، وزوجها لم يتكلَّم.

حين دخلا إلى بركة الموز، رأت صبيانًا يركلون كرة مطَّاطيَّة. بهاء الأصيل يبثُّ نقاطًا لا منتهية من الضياء تومض في كلّ ركلة. توقَّف زوجها لشراء كوبين من الشاي، وقرأت سميَّة ببطء اللوحة (لحظة شاي)، أغمضت عينيها فرأت كلمة (لحظة)

٧٧

مضخَّمة، فتحت عينيها وأكملت القراءة ببطء، تقريبًا بجهد: يوجد لدينا شاي كرك شاي ورد شاي زعفران شاي زنجبيل شاي زعتر...ناولها زوجها كوب الشاي الورقي الساخن فلسعها مكان الجروحَ في كفَّيها.

بدأت السيَّارة تصعد الطريق الجبليّ إلى المسفاة، خيط أبيض من السحب يلتوي في السماء. رأت سميَّة طائرة ورقيَّة منفلتة وعرفتها. لقد صنعت هذه الطائرة مع زهور من أجل سفيان حين كان صغيرًا، صنعتاها من الورق الملوَّن والبوص وزيّنتاها بأشرطة لمَّاعة، جدّتها أحضرت لهما البوص من المزارع، وأمّها اشترت الأشرطة.

حين وصلت السيَّارة إلى المسفاة أصبح خيط السحب أكثر نحولاً ولم تعد سميَّة ترى الطائرة الورقيَّة. نزلت وسارت مع زوجها، كان الأفق محمرًّا، والحصى يتدحرج من خطواتهما. كان مشيها ثقيلاً، حاولت تجنب الاقتراب من الناس كيلا يشمُّوا رائحتها، حاولت أن تبقى في الخلف كيلا يُحاذيها.

بدت لها السلالم والجسور الحجريّة الصغيرة بلا نهاية، تباطأت خطوتها، والشمس تغرب، تملّكها إعياء شديد ولكنّها لم تقل شيئًا.

اقتربا من المزارع، بدأت تشمّ روائح ثمار عفنة نُسِيَتْ أسفل الشجر، وغابت الشمس تمامًا فسمعت صوت الأذان. كانت طوال الطريق ترى قدميْ زوجها وهو يسبقها بخطوات. كان كعباه شديدي البياض. فجأة، توقَّفت ورأت الطائرة الورقيَّة. كانت

الأشرطة لم تزل لمَّاعة وكان بوص جدّتها غاية في المتانة. مدّت سميَّة يدها فطارت الطائرة.

أخذت عتمة المغرب الخفيفة تنتشر بلطف بين أشجار النخيل، هبطا سلالم حجريَّة وانحدرا إلى المزارع. كانت بركة صغيرة وعميقة ممتلئة عن آخرها لتوزِّع مياهها في السواقي وتروي الأشجار لاحقًا. لم تكمل قدما زوجها الانحدار بمحاذاة السواقي. وقفتا فوقفت قدما سميَّة. ثم استدارتا وصعدتا الحافة الحجرية للبركة.

قبل أن تلحق سميَّة بزوجها، سمعت طرطشات مياه الرجال المتوضِّئين في المخاضة القريبة، راقبت آخر بقايا الضوء على دشاديشهم البيضاء وهم يتسلَّقون السلالم عن يسارها إلى المصلَّى الصغير المجاور الذي تضيئه بالكاد لمبة واهية.

جرَّت قدميها وقفزت على جدار البركة خلف زوجها، سار ببطء، وسارت خلفه، هي بحذائها الرياضيّ، وهو بنعاله الجلديّ. حذاؤها جاف ونعاله مبلَّل قليلاً. لا ترى إلّا بياض كعبيه وهي تتبعهما، ثم رأت ورقة المانجو، ثم انزلق فجأة.

وقفت سميَّة. كان زوجها لا يجيد السباحة وكانت قدمه قد زلَّت إلى البركة العميقة المعتمة. كان رأسه يعلو ويهبط في الماء وهو يعارك الماء محاولاً الاستنجاد بها. تجمَّدت سميَّة. لفحتها رائحة حادَّة من البول منبعثة من ثيابها، ولم تتحرَّك. رأته يجاهد لاستنشاق الهواء ويحاول الاقتراب من الحافة، ولم ترفع عينيها عنه. تناهت إليها تكبيرات الرجال للصلاة خافتة وبعيدة، وثقل

لسانها. كانت لوحة (لحظة شاي) تومض في عقلها ومضات متلاحقة وكانت كلمة لحظة مضخّمة أكثر فأكثر.

ظلّ زوجها يغرق وظلّت هي واقفة في مكانها حتى انتهى الرجال في المصلّى من فريضة المغرب، وصلُّوا السُّنَّة وخاضوا في دردشات ودِّيَّة وهم يهبطون السلالم من المُصلَّى.

ازدادت العتمة وسكن زوجها.

صاح رجل: غريق غريق.

انتشلوه من الماء. كان منتفخًا، حاولوا إسعافه، ولكنّه كان قد مات. حين انتبهوا إلى سميَّة كانت ما تزال واقفة وقفتها تلك. صاح أحدهم: «من متى أنت هنا؟»، ثم رفع صوته أكثر: «ما صرخت؟ كنَّا بنسمعك». صاح آخر: «لا حول ولا قوَّة إلّا بالله الحرمة مصدومة دخلوها». جاءت نسوة وأدخلنها إلى بيت. مددن لها فراشًا وسألنها: «المسكين زوجك؟» وسميَّة لم تنطق. قالت النسوة: «لو كان زوجها لازم تعتدّ». وضعت امرأة عجوز يدها على رأسها وقالت: «ردِّدي معي يا بنتي... اللهم في نيِّتي واعتقادي إني أعتدُّ على زوجي الهالك أربعة أشهر وعشرة أيَّام طاعة لله ولرسوله». بقيت سميَّة مفتوحة العينين مقفلة الفم، خلعت النسوة الأساور الذهبية الرفيعة من معصمها ونزعْنَ خاتم زواجها. قالت إحداهن: «اتصلوا بأهلها، تصرّفوا... سبحان الله.. أشمّ ريحة بول...».

النوستَالجْيَا

كان يوهانس هوفر طالب طب، مثل عمران.

كان عمران يعاني بصمت من الحنين، وكان يوهانس هوفر - قبله بأكثر من ثلثمائة سنة - قد ابتكر كلمة نوستالجيا بضمّ كلمة نوستا التي تعني العودة مع كلمة لجيا التي تعني الألم.

وضع يوهانس هوفر الكلمة في عنوان أطروحته عن مرض الجنود السويسريين البعيدين عن جبالهم، وكتم عمران السقم في قلبه.

أحضرت الطالبة الأوكرانيّة التي تعمل نادلة في مقهى القرود الثلاثة قهوتنا. أتخيَّل دائمًا أن القرود في لوحاتها الضخمة خلفنا تبتسم كلَّما فرح أحدنا برغوة قهوته الغنيَّة. حرَّك عمران ملعقة السكَّر في كوب كحل أوّلاً ثم في كوبه. لمحتُ بغتة نكتة السقم في قلبه كحبيبات سكَّر ذائبة في رغوة. الحقول النائية في قرى بلا

أسماء. طرحة الأم الممزَّقة من تراب المحاصيل وحلق أذنيها الفضي: ثروتها كلّها. الغروب الرماديّ على حديد قطار صدِئ ينقل الحبوب والقطن. ضحكة أخته الرضيعة تهتزّ مربوطة على الحمار كي لا تسقط.

تطفو النوستالجيا على عينيه لوهلة، ثم تذوب في أوَّل رشفة من كوبه.

كان فاتنًا.

قالت كحل إنها تشعر أنه ينحدر من سلالة المغول التي حكمت شبه القارة الهنديَّة. قالت إنه يشبه تمامًا البورتريهات المرسومة لجهانكير، أحد أعظم أباطرة المغول في القرن السابع عشر. لم أعلّق. لم يكن عمران يشبه أحدًا ولا يشبهه أحد.

ترتدي كحل على الدوام قمصانًا منقوشة بياقات عالية وأكمام طويلة مع بناطيل الجينز، تضع أحجبة متقاربة الألوان مع قمصانها وتنتعل حذاء بكعب مسطَّح، وكان عمران يرتدي قمصانًا مقلَّمة مع بناطيل ملوَّنة، ولفَّاحات متناسقة، كان حريصًا على مظهره لدرجة أنه خُيِّل لي أنه يعاني في كل مرّة يخرج فيها معها حتى يظهر كل تفصيل فيه متناسقًا. لا شكّ أنه كان يعمل أعمالاً جزئية إلى جانب دراسته لتغطية التكاليف الباهظة لملابسه على الأقل.

قالت كحل بحماسة: «لنأكل شيئا حلوًا»، تركا الاختيار لي، فاخترت فطيرة التفاح مع آيس كريم الفانيليا. ضحكت كحل لأن فطيرة التفاح تذكِّرها بالجدَّة بطّة في قصص بطوط. أطرق عمران

كما يفعل في كل مرّة تتحدّث فيها كحل عن موضوع في طفولتها لا شبيه له في طفولته .

لم يشاهد أي كرتون ولم ير أي مجلّات حتى سافر في رحلة مدرسية وهو في الثانوية إلى لاهور، قبل أن يحصل على البعثة بقليل . لم يخبرني هو بل كانت كحل قد حكت لي عن طفولته قبل أن ألتقيه . لم يكن يتحدّث كثيرًا على أية حال، كان يقطع لنا فطيرة التفاح وأنا لا يسعني إلّا أن ألتقط رهافة أصابعه البالغة .

كان المقهى فارغًا إلّا منّا على غير العادة . دندنت النادلة الأوكرانية لحنًا محلّيًّا وهي تستذكر دروسها، وحين وقف عمران ليدفع لها الحساب، حدّثته قليلا عن امتحاناتها الوشيكة، فأجابها باقتضاب .

هل يبدي عدم الاكتراث بالناس أم إنه لا يستطيع التواصل بسلاسة وحسب؟

كيفما كان، كان فاتنًا .

الأَزْرَق

تنظر سميَّة ليديها الخاليتين من الأساور الذهبيَّة الرقيقة وخاتم الزواج الألماسيّ.

أظافرها طويلة، مقصوصة بشكل دائريّ، وآثار جروح قديمة على باطن كفّيها من شظايا زجاج كوب.

تنظر سميَّة ليديها طويلاً، ترى فيهما الظهيرة الثقيلة، ظهيرة باهرة الضوء، فهناك شمسان تضيئانها. ترى سميَّة حبلا غليظًا بين الشمسين، يتدلَّى من أوّله قميص لها أزرق طويل، وتتدلَّى من آخره دشداشة زرقاء رَثَّة لراعية غنم.

تنظر سميَّة ليديها، يداها صنعتا الظهيرة الكثيفة. ترى سميَّة نفسها تتعلَّق بيديها في الحبل الغليظ، تتأرجح بين الشمسين، مرَّة يمسّ جسدها قميصها ومرَّة يمسّ دشداشة الراعية، تتقيّح جروح كفّيها، تسيل منهما خيوط الدم ومزق اللحم. لا تستطيع سميَّة أن تكفّ عن النظر إلى يديها، ولا تستطيع أن تفتح فمها بالتأوّه.

٨٤

التعَاطُف

نشأ التعاطف بين جدّتي الثُّرِيَّا وبنت عامر. كلَّما غاصت يدا
بنت عامر في تراب البيت، لتزرع أشجاره، وتعجن طحينه، وتخبز
عجينه، وتفرك جسد منصور بالليفة والصابون، ارتفعت الثُّرِيَّا بعيدًا
عن أرضه، وحلَّقت في هوائه حتى كادت أن تصبح جزءًا من ذلك
الهواء، ارتفعت مع سجّادة صلاتها كطيف. غاصت قدما بنت
عامر في طين الأرض، شيّدت جدران بقاء هذا البيت، وارتفعت
الثُّرِيَّا في السماء تنشد عالمًا من الروحانية المطلقة. كتبت الثُّرِيَّا
حروز الحمّى للأطفال ونقشت الآيات القرآنيَّة بماء الزعفران على
الصحون البيضاء لتشرب منها النساء في المخاض. قصدها الناس
للاستشفاء، فاستجابت لهم بلا ثمن وبلا صوت، كان مبتغاها في
السماء لا في أثمان الأرض.

كانت بنت عامر تربط الليف على قاع قدميها بسيور من
خوص هربًا من لسعة شمس الظهيرة، توازن الجحلة الفخّارية على

٨٥

رأسها، وتستقي الماء من الفلج، ومنصور يتبعها أينما ذهبت، وقد كبر بما يكفي ليزهو بعشرات المرايا الدائرية الصغيرة تزيّن قباءه الجوخ المطرّز بالخيوط الذهبية المجلوب له خصّيصًا من الهند، فكان يلهو مع بنت عامر بأن يعكس أشعّة الشمس المتلألئة على مراياه ويسلِّطها على عينها الصحيحة، لكنّها لا تلتفت إليه ولا تتزحزح جحلتها من رأسها، وحين ييأس من إثارة غضبها يسبقها راكضًا إلى البيت، حيث تكون أمه الثُّريَا قد توضَّأت لصلاة الظهر، ودسّت كعبيها الناعمين في قبقابها الخشبيّ الزنجباريّ، ومَشَت عبر الحوش إلى مُصلَّاها وخَلَت إلى مسبحتها بانتظار الأذان، ويكون أبوه سلمان قد أقفل باب الدكَّان للقيلولة، فيفوّت منصورًا خطف شيء من «سكر الأقلام» الذي يملأ العلبة المعدنيَّة المزخرفة بمشهد يوم صيفيّ في إنجلترا حيث نساء بفساتين ومظلَّات يتنزَّهن بين الأشجار، وحيث تخيَّل منصور أن يسابق أترابه.

شارف منصور على الثانية عشرة فجزَّ أبوه ضفائره، هبَّت ريحُ رخاء، وكسب سلمان مئات القروش الفضّيَّة في صفقة لم تكن بالحسبان. فتحت الثُّريَا أبواب البيت للمحتاجين، فأوقِدَتْ المراجل وتوافدت النساء الفقيرات إلى بيت سلمان، يَكِلنَ الطحين ويخْبِزْنَه، وينقّين الأرزّ ويطبخنه، طوال الظهيرة، ليحملنَ الخبز والأرزّ وقِصاع اللبن الرائب في العصر إلى بيوتهنّ.

ذات ليلة، اقترحت إحدى الجارات على الثُّريَا وبنت عامر أن تصوغا أقفالاً للمناديس الخشبية من الفضّة، وتطعِّما مراشّ ماء الورد بالذهب مثلما اشتُهِرَ عن امرأة ثريّة في البلد. سكتتْ الثُّريَا

وانسحبت إلى سجّادة صلاتها، لكن بنت عامر حدّقت في عينيْ الجارة الناصحة، وقالت لها: «روحي بيتك وانصحي غيرنا، نحن ما نحسد الحرمة الغنيّة وما نقلّدها، الحسود بَسْ يقلِّد الناس بلا تدبير».

أمّا المرأة، فقد ذهبت إلى بيتها ولم ترجع، وأمَّا الحسد الذي خافت منه بنت عامر وحذَّرت من ناره، فقد اكتوَتْ به بغتة بلا سابق حسبان؛ لم تكد تنقضِي أشهر حتى حلَّتْ التوأمان ريّا وراية ضيفتين في بيت سلمان. لم يغيِّر مجيئهما شيئًا في حياة بنت عامر في هذا البيت، ولا في أمومتها المستحقَّة لمنصور، لكنّ أبوابًا غريبة فُتِحَتْ، ومخاوف غامضة خالطَتْ القلب المغموم.

حين وجد والد ريّا وراية نفسه عالقًا في مصيدة زواج منكود، استنفد شتّى الحيل في الإفلات، ثمّ اهتدى بعد تعثّر في الهروب الصغير المتكرِّر إلى السفر البعيد: شدَّ رحاله إلى الكونغو مخلِّفًا طفلتين في حجر زوجته ومزرعة نخل أماتها المحل بعد سنتين من رحيله.

وحين ظنّ أنّه خفّف أكثر ما يمكن من التبعيّات المرهقة، وتجنّب المصائب غير الضروريّة، واستمرأ الإيغال في غابات أفريقيا صائدًا للنّمور بلا نكد بشريّ، فاجأتْهُ رسالة في عزّ إنكاره؛ امرأته ماتت، كما عاشت، بلا فرح وبلا طموح، وتوأماه، ريّا وراية، وحيدتان يتيمتان، والمزرعة قد محلت وبيعت منذ أمد.

عاد من انفلات نمور البراري إلى تراب الواقع وأحابيل دم الواجب، اضطرّ إلى كتابة رسالة إلى قريب له في عمان يدعى

هلال اشتهر بالصلاح طالبًا منه أن يحضر إليه ابنتيه. ألزم هلال نفسه بشأن قريبه، حمل طفلتين هزيلتين متشابهتين دون العاشرةعلى إحدى السفن المبحرة من صور إلى زنجبار، لكنّ جلطة باغتته في السفينة فقتلته، وحين رمي جثمانه في البحر، انتحبت الصغيرتان ولم تفلت إحداهما يد الأخرى حتى رست السفينة على ساحل زنجبار.

وصلت التوأمان، فوجدتا جثّة هلال قد وصلت قبلهما إلى الشاطئ، بكى الناس الرجل الصالح الذي لم تمسسه قروش البحر وطيوره، ودفنوه في مقابر الأولياء، ورحلت ريّا وراية مع والدهما إلى الكونغو. كبرتا هناك في شبه عزلة، ينسى والدهما وجودهما أحيانًا، فتعلّمتا كيف تزرعان المهوجو والموز وتطعمان نفسيهما وتبيعان الفائض، نما جسداهما على أطراف الغابات، تلبسان الكانجاه، تزرعان وتحصدان، تشاركان في الصيد، وأبوهما الذي تذكّر أحيانًا أن يطعمهما، وتذكّر دائمًا أن يجبرهما على الحديث بالعربية، نسي تمامًا أن يزوّجهما، ولمّا مات، أدركتا بأنّهما وحيدتان في العالم.

بعد تردّد طويل، قرّرت ريّا وراية العودة إلى عمان، لم تستطيعا تذكّر أيّ شيء عن حياتهما وأهلهما هناك. حاولتا استعادة تفاصيل الحياة مع أمّهما الراحلة، حاولتا تذكّر لحظات حلوة، لكنّ اللّحظات الوحيدة التي كانت تشرق فيها عينا أمّهما بالحماس وتومض بالاهتمام بأيّ شيء أرضيّ هي اللّحظات التي تسمع فيها خبر وفاة، أو تعيد ـ بتفاصيل تنوء عنها الذاكرات ـ حكاية ذلك الخبر. عادتا على أيّة حال، عرفتا أنّ سلمان هو

أقرب أقربائهم، أو أكرمهم، فحلَّتا ضيفتين في بيته .

حطَّت ريّا وراية ضيفتين في بيت سلمان، بقباقيب خشبيّة،
وصُرر حملت الملابس القليلة، لكن النظيفة المبخرة، وصندوق
خشبيّ صغير يحوي الفضِّيَّات، وصرّة مربوطة بعناية تحوي أعجوبة
الأعاجيب، التي ستظلّ حديث القرية لأسابيع؛ جلد نمر حقيقيّ .

نزلتا في بيت سلمان القريب الكريم، فلم تجدا سوى رجل
مشغول بتجارته، وامرأة مشغولة بصلاتها، ومراهق يلهو في
الأزقّة، لم تجدا من يواجههما ويُشعرهما بأنَّهما لن تظلّا ضيفتين
إلى الأبد حتى عادت بنت عامر من سفرها الفاشل للقاء الطبيب
توماس، وواجهَت التوأمين .

القُرُودُ الثَّلاثَة

قادتني سرور إلى كحل، فأصبحنا ثلاثة في صورة، أنا وسرور وكحل، والإطار مقفل علينا. ثم أزاحت سرور أحد أضلع الإطار وخَطَتْ إلى خارج الصورة. لكنَّا ظللنا ثلاثة إذ خطا عمران نحونا: أنا وكحل وعمران، نشدّ أضلاع مثلّثنا بعناد، نتماهى في الأدوار، نلعب لعبة تبادل الأماكن دون أن ننتبه، أو ربّما دون أن نريد أن ننتبه.

الغرفة معتمة وأنا أصحو كل صباح وقدري بانتظاري، أنظر إلى الفجر، أقول في نفسي: الفجر. لكنَّ قدري قد تمّ. لقد مشيتُ إليه بقدميَّ، وانقفل المثلَّث على ثلاثتنا بإحكام. تمنّيتُ كل خطوة وكرهتها، تمنّيتُ كل العراقيل وفزعتُ منها. جلستُ مع كحل وعمران في مقهى القرود الثلاثة، ويداي ترتجفان من خوف الهجران، واللقاء. كل عرق فيَّ نابضٌ بالتأهُّب، كل ذرّة فيَّ مستفزّة، كلّي انتظار، وهذا القدر، الذي لن يتغيَّر، الذي مضى

كما اشتهيتُ وخفتُ، هنا: على ظهري. إني أحمله أينما ذهبت وأغطّيه بالكلام الكثير عن كل ما عداه.

كنّا نجلس معًا، في المقهى المفتوح، تحت السماء، وكنت أتمنّى أن أقول لهما كم أحبّهما، ولا أستطيع. العذاب يمسك بي من قدري، من وجود شعر عمران لهذا الحد من القرب من أصابعي، وحقيقة لون بشرته، وغمّازتيْ كحل المشرقتين بوصال المحبوب، وجوهر الشوق الأوّل الذي يجلُّ عن الوصف.

كانت كحل تتحدَّث بحماسة عن مشروع تخرُّجها، وكان عمران صامتًا كالعادة، ولم أستطع تحديد منبع صمته: التوجّس أم اللامبالاة؟

نظرت إليه فرأيتُ الطفل الذي كانه؛ حافيًا جائعًا يخرج فجرًا من بيته الطينيّ، تخضَرُّ لوزة القطن وتنشَقُّ عن خصلات قطنية، فيميل عليها بأناة ويقطفها بأصابعه الدقيقة، كان يُمنَع من الذهاب إلى المدرسة في مواسم جَني القطن، على الرغم من أنَّ المحصول لم يرقَ قط لاستخدامه في غير البطّاطين وحشو الوسائد. كانت هناك عينان رهيبتان ترقبانه على الدوام، كان هناك سوط وحديد محميّ وضغينة لا تُفهَم. وحتى في اليوم الذي وُلِدَت فيه أخته الصغيرة بين أكوام بذور القطن، لم يُسمَح له بترك العمل لمساعدة أمّه، ظلّ يسمعها وهي تطلب الماء بصوت واهن حتى غربت الشمس، وعادوا كلّهم إلى البيت، أبوه يمشي في المقدّمة وخلفه هو وأمه والمولودة ملفوفة في خرقة في حضنها.

أنهيتُ قهوتي، قال عمران فجأة إنه يتمنّى أن يزور بلدي،

فدعوته إلى شجرة النارنج في بيتنا، ولم أخبره أنها ماتت بموت جدّتي. هل ستقبض هذه الأصابع الرهيفة، التي نَجَت من خشونة الفلَّاحة، على الأغصان اليابسة من النارنجة الميتة فتُحييها بسرِّ الوصل الأوَّل؟ هل ستتأرجح يا عمران على الفرع الذي كان أرجوحة سميَّة؟ هل يزعجك الانبطاح تحت الشجرة على حصير تحسِّ الحصى تحته يا عمران؟ ولكنه حصى يتكلَّم، حصى يتنفَّس. يجب أن تجلس وتؤرجح قدميك فوق فرع النارنجة القصير، يجب أن ترى التحام الغيم بقمم الجبال الرماديّة، وأن تصرخ باسمي ليرجع الصدى الغريب عشرات المرَّات، كأنَّ كائنات غريبة مستترة تؤازر صرختك، وتعرف أنَّك تستصرخ ما هو لك أن يكون معك.

المُعْجِزَات

كانت أخبار معجزات «طومس» الطبيّة قد ذاعت في كل حصن وبيت وخيمة في بلاد لم تزل حتى نهاية الخمسينيّات لا تعرف غير الطبّ التقليديّ. تناقل الناس أخبار عمليّاته الجراحيّة التي تخيّط البطون وتجبر الكسور وتعيد النور إلى العيون، وكان إجراؤه عمليّة لعين الإمام محمد الخليلي في نزوى قدرًا حاسمًا في إيمان الناس بمعجزاته الطبيّة الحديثة، وفي إحياء الأمل في نفوسهم باستعادة أبصارهم التي ذهب بها تفريط الجهل، وزلّة الإهمال.

فتحت بنت عامر صرّتها القماشيّة الصغيرة، فرَدَتْ طيّات اللحاف ذي الدوائر البنّيّة التي حال لونها، أخرجت منه حجل الفضّة الذي ورثته من أمها، والحلق الذهبيّ الذي أهدتها إيّاه الثُّرَيّا في سنة وَفرة، والمصحف الشريف الذي لا تستطيع قراءته، ولكنَّها أوصَتْ به سلمان عندما سافر إلى الحج، وصورة الكعبة

٩٣

المشرِّفة في ورقة مصقولة، وصورة بُراق النبيّ: وجه امرأة حسناء وجسد فرس، ولوح كتابة من كتف الجمل يعود إلى أخيها لمّا كان طفلاً في الكُتّاب، كان قد نجا من حريق اشتعل في بيت أبيها، وأرسلته إحدى الجارات إليها، وهي الجارة نفسها التي أخبرتها، عندما كانت في العشرين، أن أباها رفض رجلاً تقدَّم لخطبتها. فكَّت عقدة صغيرة في طرف اللحاف وبسطت أمامها عشرة قروش من قروش ماريا تيريزا الفضِّيَّة كانت قد كسبتها من تطريز الأكمام على ضوء قنديل الكيروسين بعد أن يكون منصور قد نام.

أطبقت يدها على خمسة قروش، صرَّتها في طرف لحافها وخرجت للقاء بخش، صاحب شاحنة البدفورد التي تخرج من جعلان إلى مسقط كل شهر، مُحمِّلةً في طريقها البشر والبضائع. رفض بخش أخذها، زعم أن سيّارته قد امتلأت فعلاً قبل أن تصل لبلدتها، ومازال أمامه طريق طويل وقرى كثيرة، لكن بنت عامر لم تتزحزح من أمام الشاحنة. ظلَّت واقفة حين كان بخش ومعاونه، ولد الكَز، الملقَّب بالمعيوني، يكدِّسان شوالات الأرزّ وتنكات الماء، وصناديق البضائع، في كل مساحة ممكنة على ظهر البدفورد. وحين أمسكا بصفائح البنزين، أمسكت بنت عامر بصفيحة، صاح فيها بخش: «هذا بترول، لا تلمسيه، ما شيء أي محطّات في الطريق»، وانتزع الصفيحة منها. وفي الظهيرة، حين ذهب المعيوني إلى الوالي، ليستخرج تصريحًا لدخول السيّارة إلى القرى المجاورة، ذهبت بنت عامر في أثره، كانت نعلاها قد اهترأتا ولكنَّها لم تشعر بلسع الحرارة، وقفت على باب الوالي

٩٤

حتى خرج المعيوني ومعه العسكري المكلَّف بمرافقته، ومراقبته. سار المعيوني والعسكري وسارت هي خلفهما، التفت لها ولد الكز أخيرًا، وقال لها: «ما شي فايدة، ما يأخذك بخش»، فأجابته بإصرار: «بتأخذني أنت»، فضحك حتى بدت أسنانه المنخورة: «أنا معاون بس، أشحن السيَّارة، وأحمِّل البضايع، وأسجِّل الأسماء، وأستخرج التصاريح، وأطبخ الغداء، وأصلِّح الأعطال، وأفحص الإطارات»، فأجابته دون أن تبتسم: «أنت اللي بتسجِّل اسمي». غاظه أنها ـ في حاجتها إليه ـ لا تكلِّف نفسها عناء اللطف، لا تُبدي حتى دهشة مفتعلة إزاء كل ما يستطيع عمله كمساعد سائق وطبَّاخ وميكانيكي وإداري، أقسم لها بالطلاق إنه لا يستطيع إقناع بخش، وإن قائمة الأسماء والأسباب التي من أجلها سيدخل كل اسم مطرح قد اكتملت، وأن سيَّارة الحمَّالية خطيرة، إن غاصت في سبخة فسيظلُّون يومًا بأكمله يحاولون إخراجها، وإن نفد البنزين فسيعلقون في الطريق، وإن تمرَّد أحد الركَّاب، فسيلقون به على قارعة الطريق، وإن غضب الوالي، فلن يعطيهم تصريحًا لدخول البلد. ولمَّا وصلا إلى مناخ السيَّارة، أراها الرقم المعلَّق عليها، أشار لها إلى حرف «ب» بجانب الرقم، وأكمل صياحه: «تعرفي ايش هذا؟ تفكِّي الخط أنتِ؟ هذا حرف باء، يعني «برَّا»، يعني السيَّارة برَّا مسقط، ما مسموح لها تعدِّي حدود دروازة الحطب في مطرح، وما تعرفي طبعًا أن السلطان سعيد بن تيمور يفرض تصاريح على كل سيَّارة، لو بغينا نبيع تصريح هذه السيَّارة في السوق السوداء كسبنا أكثر من ثمن السيَّارة نفسها، وأنت بكل بساطة تبغي تتدخَّلي في هذي الشؤون

الكبيرة وتروحي مسقط»، كان يلهث بسبب الحرّ، وبسبب نظرتها الثابتة إليه، فتحت العقدة في طرف لحافها ومدَّت إليه القروش الخمسة: «وبأدفع مثل الأوادم».

قبيل المغرب، انتهى بخش والمعيوني من فحص السيّارة وتحميلها، صعد الركّاب الذين جاؤوا فيها، وتقدّم الركّاب الجدد لتسجيل أسمائهم، فوقفت بنت عامر في آخر الصف. زفر ولد الكز في وجهها، لكنه لم يتجاسر على طردها، سألها: «سبب السفر؟»، فقالت بنبرة واضحة: «التداوي مع طومس». واتّخذت مكانها في السيّارة بجانب قفص دجاج حيّ، سيُذبح للغداء في اليوم التالي.

بعد ثلاثة أيّام، وصلت البدفورد إلى مطرح، اجتازت بوّابة العشور، حيث تفرض الضرائب على البضائع الواردة والصادرة إلى مطرح، التقت الشاحنة بمثيلاتها القادمات من الشارقة ودبي والفجيرة، الموسومات بحرف الباء، فلم تتعدَّ حدود مطرح، أُرسلت قائمة الركّاب والأسباب التي قدموا من أجلها للحصول على إباحة للسيّارة، وبعد ذلك سُمح للناس بالانتشار، على أن يلتقوا بعد أسبوع في دروازة الحطب نفسها.

أسرع الفلَّاحون لبيع محاصيلهم من التمر المجفَّف والليمون اليابس إلى كبار التجّار تمهيدًا لتصديرها إلى الهند، وأسرع أصحاب الدكاكين إلى سوق مطرح لتزويد دكاكينهم في القرى البعيدة بالأرزّ والبنّ والبهارات وصناديق الأناناس المعلَّب، ومنكّهات النعناع، والأقمشة الملوَّنة، والخرز، وأسرع الفتيان في

محاولاتهم المستميتة للسفر إلى البحرين للعمل، أو العراق للدراسة، ولكن كان لا بد من الحصول على الجوهرة النادرة أوَّلاً: جواز سفر، يسمَّى بالجواز السعيديّ، لأنّ السلطان شخصيًّا لا بدّ أن يوافق على إصداره، وأسرع المرضى والمريضات إلى مستشفى الإرسالية في مطرح، الذي عُرف بعد أكثر من عشر سنين بمستشفى الرحمة.

كان الدكتور ويلز توماس يعالج حوالي ثمانين مريضًا كل يوم. وقفت جدّتي بقامتها الفارعة، بسنيها التسع والثلاثين، بينهم، تنتظر أن يُنادى اسمها. قالوا لها إنها سترى الخاتون أوّلاً، فأدخلت على امرأة شقراء بزيٍّ أبيض، فسألتها جدّتي: «أنت الخاتون؟»، فابتسمت المرأة الأمريكية وقالت بلطف: «اسمي بث توماس»، فشعرت جدّتي باقتراب المعجزة، إنها زوجة طومس. ناولتها بثّ كرَّاسة مطبوعة، أمسكتها جدّتي بكلتا يديها كمن يتلقَّى الهِبَة الإلٰهية، لم تقل للسيِّدة الشقراء إنها لا تقرأ ولا تكتب، وإنّ هذا الكتاب، الذي ستعرف لاحقًا إنه الإنجيل وستضعه في صرّتها ذكرى لقائها بطومس، كان الكتاب الثاني الذي تمسكه في حياتها بعد القرآن.

التقت جدّتي بطومس كما يلتقي المرء القدّيسين والأولياء ومحقّقي أحلام البشر، لكنَّ لقاءهما كان قصيرًا، إذ إنّ طبيب الإرساليَّة الشهير، مجري العمليّة الناجحة لعين الإمام قبل بضع سنين فقط، لم يستغرق سوى دقيقتين في فحص عين جدّتي العوراء ليبلغها بأنَّ ضرر أعشاب الطفولة نافذ، وأنَّ نورًا لن ينبثق من عينها أبدًا. أرادت الممرِّضة أن تقودها إلى الخارج، ولكنَّها

رفضت المغادرة، تعاطف معها الطبيب فأعطاها بطاقة كتب عليها اسمها والتشخيص والوصفة: محلول مطهِّر.

حين أصبحتُ على عتبة العشرين، على سفر، وعلى عجل، وعلى ثقة بالحياة، وعلى رغاب جمَّة، حين كانت جدّتي تُحتضَر، وكنت ألملم ثيابها وحاجيَّاتها البسيطة، لأخذها إلى المستشفى، عثرتُ على هذه البطاقة، وقرأت في ظهرها العبارة من الإنجيل: «مخافةُ الربّ بداية الحكمة».

حاول أحد القضاة تأجيل رحلة عودة سيّارة الحمَّالية، لعل أمله يحيا على الرغم من الرسالة المختومة التي يدسّها بين ثيابه، لكن بخش وولد الكز تمسّكا بالتوقيت المحدَّد، فجلس القاضي صاغرًا بين أكياس البنّ وعلب الحلوى، مجاهدًا ألّا ينظر في وجوه الناس من خِزيه، فعلى الرغم من القروش التي تملأ كيسه القماشيّ، التي جناها من عمله الطويل قاضيًا للسلطان سعيد بن تيمور، ومن بيعه سلال البيض وأقفاص الدجاج التي يسوقها المحكوم عليهم إلى بيته ليلاً لتخفيف أحكامهم، على الرغم من رنين قروشه، لم يتمكَّن من علاج عينه المريضة. لقد أخبره توماس صراحة أنه لا يستطيع علاجه في مسقط، ولكنه إن سافر إلى مومبي فسيجد الإمكانات العلاجيَّة، ويمكن إجراء جراحة تنقذ عينه هناك، فأُسقِطَ في يد القاضي. كان مسترشيًا عتيدًا ويملك صرّة مليئة بالقروش التي ستحمله إلى مومبي، إلّا أنه يحتاج إلى جواز سفر وتصريح من السلطان للذهاب إلى الهند. كتب القاضي رسالة للسلطان، يفصِّل فيها ظروفه، مُلمِّحًا أنه يملك المال اللازم، ولا يحتاج إلى غير الجواز والتصريح. وافاه الردّ سريعًا

ممهورًا بتوقيع السلطان سعيد بن تيمور الذي لم يخفَ عليه استرشاء الرجل: «لا إباحة للسفر، ونعتقد أن عينًا واحدة تكفيك حتى مماتك».

في رحلة العودة، انطلقت حنجرة المعيوْني بالغناء، أطعمهم العوال والتمر طوال الطريق، حثَّهم على الشرب من بئر «مقيحفة» حين نزلوا للاستراحة تحت سدرة ظليلة، وحين همست إحدى النساء للراكبات الأخريات أنها رأت في غفوتها طفلها الذي تركته رضيعًا لابسًا عقد فلّ، دمعت عين بنت عامر السليمة، فقد عرفت من الحلم أن الرضيع مات ودُفن.

الحَرْب

دخلت بنت عامر إلى البيت، بيت سلمان والثريّا، بعد أطول رحلة قامت بها في حياتها، رحلتها للقاء طومس، فلاحظت بريبة قبقابين خشبيّين مصفوفين بعناية على عتبة باب الصالة المفتوحة على الحوش بقوس. نزعت نعالها المهترئة، ونادت على منصور لتعطيه بضع قطع من حلاوة «حليب البقرة» التي كانت قد اشترتها له بنصف قرش من سوق مطرح، لكنّ صوتًا رفيعًا غريبًا أجابها: «منصور ما هنا».

تسمَّرت مكانها، وهي تواجه غريمتيها لأوّل مرّة، إذ خرجت من إحدى الغرف امرأتان ضئيلتان نحيلتان، عرفتهما بنت عامر على الفور، وكأنّما عشرون عامًا لم تنقضِ منذ ركبتا السفينة إلى أفريقيا. كان العرق يتصبّب منها في لَكْمِ الظهيرة القائظة، تكاد تلهث وهي تقبض كيس حلاوة «حليب البقَرة»، لكنّ نظرة التصميم في عينيْ ريّا وراية لم تفتها، كما لمحت جلد النمر معلّقًا على

الجدار، بدا كلّ شيء واضحًا بدون كلمة واحدة: إنّها الحرب.

وقفت النساء الثلاث في صالة بيت سلمان، بنت عامر بقامتها الفارهة، يلمع العرق على جبينها، وريّا بضآلة زادتها بروزًا حدبةٌ خفيفةٌ على ظهرها، وراية بنحول لافت يكاد يضاهي ضآلة أختها، واضعة على عينيها شيئًا ستراه بنت عامر للمرّة الأولى في حياتها: نظّارة طبيّة، ووقف جلد النمر، شاهد المعارك والمجد، فيصل البقاء والعبور، بينهنّ.

تقدّمت الأختان بحذر وسلَّمتا على بنت عامر، ثمّ دخلت بنت عامر إلى دوّامة حياتها، وبقيت الأختان تتزحلقان على حافّتها. ردَمَت أوّلاً أوكار العقارب التي ربّاها منصور في غيابها، ثمّ جلبت الماء من الفلج في قُلل الفخّار، ثمّ غسلت الأرزّ، وذبحت ديكًا وطبخت الغداء، وحين وضعتهُ على الأرض، تحلّقت ريّا وراية حوله كما تحلّق سلمان والثريّا ومنصور. يومئذٍ، لم تأكل هي، تذكّرت أباها، وهو يضرب يد أخيها فيتطاير الأرزّ منها، شمَّت هواء مثقلاً برائحة تراب غِبّ مطر، وتردّدت في صدرها العبارة التي طردتهما من كنف أبيها: «كُل من كدّ هذا الزند».

انطلقت الحرب، صامتة ولكن شرسة، رسمت بنت عامر للأختين حدود تحرّكاتهما في البيت، لم تسمح لهما بدخول مطبخها، ولا بلمس أشجارها التي زرعتها، ولا بتوجيه ملامة واحدة لمنصور، إبنها. وردَّت عليها ريّا وراية بإظهار ملابسهما المبخّرة، وطقطقة القباقيب الخشبيّة، وبحكايات لا تنتهي عن

أفريقيا، عن الغابات، النمور، الطقوس، الأفاعي العملاقة، الحشائش الطويلة والبيوت المقبّبة، يجذبان بها سلمان والثّريا ومنصور والجارات.

كان يمكن لهذه الحرب الصامتة أن تدوم، لولا أن حياة التوأمين في الكونغو قد علّمتهما كيف يكفّان عن انتظار الاهتمام من أي مخلوق. فلم يكد ينقضي أسبوعان على مجيئهما إلى بيت سلمان، حتى أخذتا في التقصّي عن البيت الذي عاشتا فيه طفولتهما، ولاحظتا فورًا أن المحْل قد تراجع عن البلدة، وأن الفلج عاد ليروي البساتين، وبدأتا بتمتين العُرَى مع الجارات اللواتي تطوَّعن لتعليم التوأمين الخياطة، ولنشر خبر استعدادهما للصّيام بالأجرة عمَّن لا يتمكَّن من الصوم، أو من يريد استئجارهما ليصوم كفّارةً عن عزيز مات عليه، فتصومان عن الميِّت وتقبضان أجرة الصوم.

كانت بنت عامر تغسل ملابس منصور، تضربها على الدكّة الصخريّة للفلج بقوّة، ثم تغمسها في الفلج مرّة أخرى، وتكرِّر العمليّة، ولا تعصرها وتنشرها على حبل الليف إلّا بعد أن تكون قد اطمأنَّت تمامًا لنظافتها وزوال رائحة الصبيّ المراهق الثقيلة عنها. كانت منهمكة في الغسيل حين وقفت التوأمان على رأسها، قالت راية وهي تعدِّل نظارتها: «جينا نوادعك يا بنت عامر، نحن بنخرج من بيت سلمان إلى بيتنا». فمرق سهم سريع من نون الملكيّة في «بيتنا» إلى صدر بنت عامر.

تدبَّرت ريّا وراية كيف تحوِّلان البيت المهجور المهدَّم إلى

١٠٢

غرفة صالحة للسكن، وكيف تحوَّلان ساقية الفلج لإرواء مزرعتهما الصغيرة الميِّتة. جمعتا أموال أجرة الصوم عن الآخرين مع أموال الخياطة واشترتا الطين لترميم الغرفة، وفسائل النخل لزراعة الحقل. لم تمنعهما حدبة ريّا ولا قصر نظر راية من الخدمة ليلاً ونهارًا، أكملتا بناء الغرفة في زاوية البيت المهدّم فاكتفَتا بها، وزرعتا الموز، المانجو، الطماطم، الليّمون، البصل والبرسيم إلى جانب النخل، وفي غضون سنتين كانت لهما بقرة تدرُّ الحليب، فكانتا تبيعان اللبن والسمن والجبن، وتواصلان الخياطة والصوم بالأجرة، وتعيشان مستقلَّتيْن.

قالت النساء: «ما شاء الله ريّا وراية تعملان أعمال الرجال ولا تحتاجان إلى أحد»، فكان الحسد، عذَّب جدّتي وهي التي حذَّرت من ناره، واعتبرته رأس الخطايا، وحين وصف الناس التوأمين بأنهما مستقلّتان، قالت جدّتي لنفسها: «عزيزتان». انتهى حلمها بحقل لها تعيش منه، كما انتهى من قبل حلمها بعين صحيحة ترى بها.

العُذْرُ الكَافِي

بعد غزو صدّام للكويت، اشترى أبي كمِّيَّات هائلة من السلع التموينيّة ضاق عنها المخزن، فوضع شوالات الأرزّ في غرفة جدّتي، وعرفنا وقتها حين اصطدمت بالشوالات وتعثَّرَتْ أنّه لم يبقَ من نور عينها الوحيدة إلّا أقلّ القليل، وحين انتهت الحرب، واختفت الشوالات، وعاد أبي لرحلاته التجاريّة الطويلة، أقعدت جدّتي.

رآها أبي تزحف من غرفتها إلى ظلّ النارنَجة، وقال كلمة واحدة: «ماه».

فابتسمت جدّتي وقالت: «منصور».

اشترى أبي الكرسيّ المتحرِّك، وجدّتي لم تستخدمه قط. استقدم خادمة، وجدّتي لم تسمح لها بتحميمها قط. ثم انفرطت السنوات الغريبة.

كانت حقيبتي جاهزة للسفر في بعثة دراسيّة.

كانت حقائب سميَّة جاهزة لإقامة العرس وتلقّي الهناءة والانتقال لبيت عريسها.

كان سفيان بالكاد يودِّع طفولته إلى مراهقة عسرة.

وماتت جدّتي.

كان الناس من حولي متعاطفين معي، ولكن لا أحد مستعدّ لفهمي. التعاطف ليس الفهم، بل على الأرجح هو الطريق المضاد. «آه لقد تجاوزت الثمانين. آه لقد استراحت من العجز وزحفها من غرفتها إلى الحوش. آه لقد اعتنيتم بها».

أليست الشيخوخة عذرًا كافيًا للموت؟ الأهم من ذلك: لتقبُّل الموت. كما حظيت جدّتي بشيء من التعاطف في حياتها حظيتُ أنا به في موتها. لكن أيًّا منا لم تحظَ بالفهم، وبات محظورًا عليَّ الندم.

ثم تزوّجت سميَّة الدينامو، ثم فقدت لقبها وأصبحت سميَّة فقط. ثم سافرتُ أنا. لقد مرَّت كلّ تلك الساعات، كلّ تلك الأعوام، وقد عاثت فينا فسادًا، وقد نسينا أصل الجرح، وعلله، ولكنّا قلنا إنه باقٍ، لأنه ـ في وقت ما ـ قبل تلك الساعات، قبل تلك السنوات، قد شطرنا إلى شطرين.

لاحقنا طير الحياة الهشّ، تشبّثنا بجناحه حتى انتزع في قبضتنا، فلبسنا الريش، وشربنا الدم، قلنا: «سنمضي»، رغم مزق الطير بين أصابعنا، رغم طعم دمه الحرِّيف تحت ألسنتنا، قلنا:

«سنمضي»، ثم انتظرنا أن يحلِّق طير الحياة بنا .

لبسنا الضرّ في عراء الحب، فتحنا أفواهنا ليقطر الشهد فسال المرّ، تشبّثنا بالمحبوب حتى مزَّقنا ثيابه، لكنَّ عريه لم يلتف على عرائنا، فقد مسَّنا الضرّ، وأعيا المحبوبَ فكُّ أصابعنا، آه كم أصمَّنا هذا الصراخ، كم أعيانا هذا الركض، كم أذلَّنا هذا اليأس، فلماذا يا ربي، يا أرحم الراحمين، لا تُرينا مغتسلاً وشرابًا؟

النظَّارَة

أقامت بنت عامر، أثناء رحلتها الوحيدة للقاء طومس، في عريش مجاور لمستشفى الرحمة، تكدّست في العريش عشرات النساء من كلّ منطقة، كلّ واحدة تدفع إيجارًا بسيطًا وتتحمّل غذاءها. في كلّ ظهيرة يتصاعد الدّخان من طبّاخات الكاز ذوات العين الواحدة، وبُعَيْد المغرب تكون النساء قد أوينَ للنوم.

تكدّس الرجال في عريش مجاور. ظلّت جارتها في الفراش تتقلّب وتمنعها من النوم بتأوّهاتها، فلكزتها بنت عامر بكوعها، مالك يا بنت الناس؟ خلّينا ننام. فبكت الصبيّة: أبغي زوجي، كمّلنا شهر من جينا للعلاج وهو في عريش الرجال وأنا في عريش الحريم، ما نتلاقى إلّا بالمستشفى في النهار.

هل نامت جدّتي ليلتها؟

ألم تفكّر هي الأخرى في الخطيب البعيد المجهول الذي لا

١٠٧

تعرف عنه حتى اسمه ورفضه أبوها دون أن يرسل لها ولو مجرّد خبر؟

لو كان الخطيب قد أصبح زوجًا وتنعّمت معه بملاذ الجسد، فهل كانت ستتقلّب شوقًا إليه كهذه الصبيّة؟

تركت لها ريّا وراية قبقابًا هديّة قبل أن تغادرا إلى بيتهما المهدّم ومزرعتهما الميّتة، لكنّ جدتي لم تمسَّ القبقاب. تركته على عتبة الباب كما تركته التوأمان، وظلّت تلبس نعالها المهترئة، بل تربط اللّيف أحيانًا في قاع قدميها بسُيور الخوص.

تجاهلت القبقاب، لكنّها ظلّت لأشهر تفكّر في النظّارة، خطر لها أن تصوم بالأجرة عن الناس العاجزين وتجمع النقود لشراء نظّارة، ستوصي بها أيّ مسافر، لم يكن لديها أدنى فكرة عن قياس النظر، ولكنّ جسدها الباذخ لا يحتمل الصوم الطويل، وهو يكاد يتحمّل شهر رمضان ويومي عرفة وعاشوراء، حتى إنّها أشفقت على منصور حين أمره والده بالصوم، وقضت نهار رمضان الأوّل تبلِّل رأسه وجسمه بالماء من هجير الحرّ والعطش لكنّ منصوراً اهتدى لحيلة مطليّة بالبراءة، حين استلقى طوال رمضان كلّ ظهيرة تحت النخلة المعلّق عليها جحلة صغيرة. كان منصور يرقب تجمّع قطرات الماء التي ترشح من الجحلة الفخاريّة، وحين تنحدر متّحدة في قطرة كبيرة، يفتح فمه وهو مستلقٍ تحتها تمامًا، فتسقط القطرة الغنيّة مباشرة في حلقه، ثم يكرّر المراقبة والترصّد حتى تسقط القطرة الثانية في فمه المفتوح. وحين شكّ والده في استلقائه تحت الجحلة طوال الظهيرة، أفلت من السوط لأنّه قال

١٠٨

إنّه لم يفطر؛ قطرة سقطت في جوفه سهوًا، فهي رزق أراده الله له .

عرفت إنّها لن تستطيع الصوم بالأجرة عن الناس، ولكنّها تريد النظّارة .

أضغط خدّي على الوسادة، الثّلج يدقّ النافذة بنعومة، أضغط خدّي أكثر حتى تنغلق عيني اليمنى، تبقى اليسرى مفتوحة. أدير كلمة «عوراء» في رأسي، أقلّب حروفها، وأتخيّل كيف يعيش المرء، ثمانين سنة، بعين واحدة. تسيل الدّموع من عينيَّ الاثنتين، السليمتين، على عينها الوحيدة، المعطوبة، على أعشاب الجهل، وقسوة الطفولة، على يتم الأمّ، وطرد الأب، وفجيعة الأخ، على حقل لم تملكه، على أليف لم تحظَ به، على ولد ليس لها، على أحفاد صديقة ماتت .

مَطَرٌ أَصْفَر من الهِنْد

مات سلمان مرّتين، المرّة الأولى حين طرق بحّارة ممزّقو
الثياب، حفاة الأرجل، يلفّون الخرق الملوّنة على رؤوسهم، باب
بيته ليخبروا الثريّا أنّ المركب المبحر إلى الهند قد تحطّم قبالة
شواطئ مومبي، ولم ينجُ منهُ أحد. كان سلمان قد سافر إلى الهند
مرّتين أو ثلاثًا من قبل مُحمّلاً بالتمر المجفّف، الذي سهر بنفسه
على جنيه من مزارعه وغليه في مراجل ضخمة لا يتوقّف الحطب
عن رفد قاعها بنار لا تنطفئ، فتبثّ فقّاعات غليان مائها الضّخمة
الذعر في قلوب الصبيان المتحلّقين حولها بانتظار أن يُصفّى الماء
ويخرج التمر المطبوخ ليجفّف في الشمس. كلّ صبيّ سيحصل
على عشرين بيسة لكل حصير يملؤه بالتمر ويصُفُّهُ بعناية كي تصل
الشمس لكل تمرة منه. كان احتفالاً سنويًا، وقد تحمّس سلمان
مرّتين أو ثلاثًا للسفر بنفسه مع محصوله المصدَّر إلى الهند، وعاد
في كلّ مرّة بكتب السير وأخبار الصالحين للثريّا، وبالابريسم،

١١٠

وفُرُش الحرير، والوسائد المذهّبة، والعلب الخشبيّة المنقوشة، والمكاحل الفضّية المشغولة، والبهارات والشاي، ووسّع دكّانه.

حين غادر البحّارة، أمطرت السماء مطرًا أصفر، ولبست الثريّا ثياب الحداد البيضاء، للمرّة الثالثة في حياتها، ولكنّها، هذه المرّة، غطّتْ مرايا البيت بإرادتها، مع أن ذهولاً متفاقمًا بداخلها دفع عدم تصديقها لموت سلمان واستقراره في جوف الحيتان إلى حدوده القصوى. وحين عاد سلمان بنفسه بعد أقلّ من شهر، مُحمّلًا بنفائس تجارته، فاتحًا دكّانه بالضوء والضحكات والبضائع الجديدة، نفضَتْ الثريّا عنها الحداد ككابوس ثقيل، وقالت له ببساطة: «عرفت أنك لم تزل حيًّا».

ولكنه مات في المرّة الثانية لمّا عاد قريبه الذي رافقه للعلاج من ضيق صدره في مومبي، ليقول إنه دفنه بيديه في قبور المسلمين هناك، حينما فشل الأطباء الهنود في مداواته، فانفجر قلبه الذي لم يحمل للثريّا غير الحب، وقد ظلّت في آخر لحظات حياته، تتراءى له كما رآها أوّل مرّة حين عاد من زنجبار: صبيّة بعينين ذاهلتين، مدوّختين في استغنائهما، ويدين لم تُخدَشا، دفنت ابنًا وزوجين قبل أن تتعلّم ربط ضفائرها بنفسها.

هذه المرّة، ارتكز رمح اليقين بموته في وسط قلبها تمامًا، فانفجر. أحسّت الثُريّا ــ ببراءة كاملة ــ الخجل نفسه الذي أحسّت به يوم زواجها منه، الخجل الذي دفعها إلى أن تظنّ أنها لا تستحقُّ هذه الهبة، أنه لم يعد لائقًا بها أن تفرح وتتزوّق وتتزوّج، بعدما دفنت زوجين. أحسّت باندفاعة البراءة هذه لمّا مات سلمان

١١١

للمرّة الثانية، وأيقنت بموته، أحسَّت بالخجل مرَّة أخرى، هذه المرَّة لوجودها في الحياة، وتنفّسها الهواء، وأكلها الطعام، ومشيها بين الأحياء. أحسَّت بأنه لم يعد يليق بها أن تعيش، وتبقى، وتواصل الانشغال بتفاهات الدنيا الصغيرة. غاص رمح يقين موت سلمان في قلبها، ببطء، ولكن بعزم، حتى انفجر قلبها كما انفجر قلبه، ولحقت به بعد أقلّ من سنة.

حين ماتت الثريّا، كُفِّنت في اللحاف الذي أرسلته لها ابنتها حَسينة العروس هديَّة من بروندي مع كتابها الأوَّل. كان حائل اللون على الرغم من أن الثريّا لم تمسّه بانتظار أن تلبسه حين تعود طفلتها إلى حضنها، ثم كان أن أوصَتْ ألَّا تُكفَّن بغيره.

الكَمَال

كنّا في المرج المقابل للكلِّيَّة وأسراب الطيور تستعدّ لهجرة شتويّة طويلة، نضمُّ معاطفنا إلينا ونقبض الأكواب الورقيَّة للقهوة الساخنة. قالت كريستين لكحل: «لا أرى المشكلة! تحبِّين عمران، تزوّجتيه، والداك يحبانك، سيفهمان» تكاد تنطّ وهي تتكلَّم، لا يمكن تصوّرها بدون هذه الحيويَّة والنحول، كما لا يمكن تصوّر كحل بدون نظرة الوجد والابتسامة الساهمة.

أمسكت بذراعها: «كريستين . . . لن يفهما».

نفضت كريستين شعرها الأشقر القصير: «إذاً صارحي أمّك أوّلاً».

ضحكت كحل بسخرية: «أمِّي؟ . . . لمّا قرّرت وسرور أن نرتدي الحجاب، رفضت أن نخرج معها إلى المسارح والمطاعم فترانا صديقاتها».

١١٣

علّقتُ بخفوت: عليكِ أن تكوني كاملة بالنسبة إلى أمّكِ.

أكملت كحل: آه الأم المعاصرة! يتوجّب على طفلها أن يتحمّل كل المسؤوليّة في إسعادها وعدم إحباط آمالها، لأنَّ كل شيء في إنجابه كان مخطَّطًا له...

قالت كريستين: والانحراف عن الخطّة الأموميّة غير مُغتفَر؟

أكّدت كحل: نعم. فالذي كان يشغل جدّاتنا هو الحفاظ على أطفالهنّ أحياء قدر ما تسمح به الظروف والرعاية الصحِّيَّة الشحيحة، ولكن ما يشغل الأم المعاصرة هو إدخال طفلها في الأجندة.

فكّرتُ: لذلك كانت الجدّات أقلّ شعورًا بالذنب، وأكثر تقبُّلا للمرضى والمعاقين وغير الأذكياء من أطفالهنّ.

ضحكت كحل بمرارة: لكنّ أمهاتنا نحن ينشدن فينا الكمال لأننا جئنا الى عالمهنّ حسب مخطَّط دقيق ومحسوب، ونحن سنكون أشدَّ ضراوة منهنّ في هذا.

قالت كريستين: أنا شخصيًّا تقتصر أحلامي على طفل واحد.

فقلنا بصوت واحد: مخطَّط له.

فكرت كريستين: هل حقًّا لن أسمح لطفلي بإحباطي؟

قالت كحل: تمامًا. كما لن تسمح لي أمي بإحباط أحلامها بشأن زواجي من عائلة أرقى اجتماعيًّا من عائلتي إن لم تكافئها.

تشاغلنا بالتحديق في الطيور. هل أحبطت سميّة أحلام أمي حين توقَّفت عن الكلام بعد موت زوجها غريقًا؟

١١٤

كانت نعمة الغبطة، وراحة الضّمير قد قُوِّضَتا لدى سميَّة الدّينامو إلى الأبد.

وكانت نعمة الرضا لدى أمي قد تقوَّضَتْ، وهاجمتها النوبات العصبيّة التي كانت تعاودها أيّام إجهاضاتها. عادت أمي، بعد ترمّل سميَّة وخرسها، تجوس غرف البيت في اللّيالي مؤرَّقة، كما كانت تفعل بعد ولادة سفيان.

لم تحتمل صمت سميَّة، أن تترمّل ابنتها الشابّة في هذه الظروف المأساويّة، عصيٌّ على الاحتمال أن تفقد الصوت وتتخلّى عن قوّة الكلمة؟ هذا كثير.

فكّرت في تلك اللحظة، وأنا أنظر لبسمة كحل الساخرة: كثير على أمٍّ كأمّي؛ لم تنجب غير ثلاثة، لم يقترب أيّ منهم من الكمال.

المَسْرَح

حاولت أمُّ كحل، بعد تخرُّجها في كلِّيَّة الملك اللندنيّة أن تشتغل في الإخراج المسرحيّ، وقد عقدت فعلاً لقاءين أو ثلاثة مع حنيف قريشي عارضةً عليه أفكارها، وكانت تعتقد أنه سيساعدها لأن «كل المنحدرين من أصول باكستانية يجب أن يكونوا عونًا لبعضهم البعض في لندن»، كما ردّد والدها دومًا. ولكنَّ أمَّ كحل تعثَّرت بتصوّراتها عن العون وعن المسرح نفسه، واكتفت بحضور المسرحيَّات، وحفلات الكوكتيل التي تدعى إليها من زملائها القدامى، ممن انفرجت لهم ستارة المسرح أكثر مما انفرجت لها. كانت ترتدي في هذه الحفلات سواريه أسود مكشوف الظهر وتترك شعرها الفاحم مسترسلاً حتى أسفل ظهرها، وتحرص ألّا يبدو عليها التعب من الوقوف الطويل على كعبها العالي، متشبِّهة دون أن تشعر بهذه الشخصيّة أو تلك من مسرحيّات حنيف قريشي.

١١٦

في إحدى هذه الحفلات، قابلت رجلاً وسيمًا، جاء ليعقد قران الفن بالمال، لم يكن يعيش في لندن مثلها، بل في كراتشي حيث يدير أقوى بنوك باكستان. كانت الفتاة الجميلة قد تخلَّتْ عن طموحها المسرحي، فوافقت على عرض الزواج سريعًا، بشرط أن يشتري لها شقَّة في لندن تقضي كل صيف فيها، وألَّا يجبرها على الإنجاب، فامتثل المصرفي، وأُقيم العرس مرَّتين: في لندن بالفستان الأبيض، وفي كراتشي بالبنجابي الأحمر.

بعد ثلاث سنوات من المرح، أدركت العروس الشابة ألَّا سبيل لتوطيد مكانتها في عائلة زوجها إلَّا بتكريسها أُمًّا، فخطَّطت للإنجاب بكلّ دقّة، متَّبعة جميع الوصفات التي تضمن مجيء ابن ذكر، ولكنَّها وضعتها أنثى. وبعد ثلاث سنين أخرى، حاولت مرَّة أخرى فكانت أنثى. عندئذٍ، رأت أنها إن لم تتوقَّف فسيجرفها هذا السيل بلا نهاية، وسيقضي على قوامها وحرِّيَّتها وحتى على تدليل زوجها، فاكتفت بكحل وسرور.

كلَّما كبرت كحل اتسعت خيبة أمّها في أمومتها، من يصدِّق أنَّ هذه البنت، بهذا الشعر المتقصّف، وهذه الملامح غير المتناسقة، وهذا القوام الممتلئ هي ابنتها؟ ابنتها هي، هي التي لم يزدها الزواج والإنجاب إلَّا سحرًا وألقًا ورشاقة؟ هكذا أقصَتْ أُمُّ كحل ذكاء ابنتها وتفوُّقها، وفضَّلت عليها أختها الصغرى، سرور الجميلة الهادئة، ما وسعها التفضيل.

مهما يكن، فالغيرة المتوقَّعة لم تنشب بين الأختين، بل انصرفت كحل إلى صنع عالمها الخاص، وظلَّت سرور تعاملها

باحترام وودٍّ مشوبٍ بإحساس عميق بالذنب، كأنَّها تعتذر لها عن كونها الأكثر جمالاً ورقَّة، والأوفر حظًّا في قلب الأم الذي لم يتَّسع لمن لا تشبهها.

أمّا أمِّي أنا، فلم تتخيَّر أحدًا منّا، وربَّما لم تفضِّلنا جميعًا. لقد قامت جدّتي بنت عامر دومًا بكل شؤوننا، وعاملتنا كلَّنا بمساواة صارمة، أو لعلها حابَتْ سفيان؟ لا أتذكَّر؛ ففارق السنين الست بيني وبينه محا احتمالات الغيرة، وجعل عينيّ متعلِّقتين في الجدار فقط، حيث تعلَّقت سميَّة.

رَجُلُ الثلج

خَطَتْ سرور خارج مثلَّثنا لأنّني لم أستطع مجاراة
ضيقها . كان ضيقًا صالحًا تقيًّا، تثيره دومًا أخطاء الآخرين، ضيق
الكاملين تجاه المفتقرين للكمال، المصرّين على الأخطاء، أخطاء
أختها كحل خصوصًا، أخطاء في العشق: لا تُغتفر .

قبل أن تخطو كحل خارج مثلَّثنا، قالت لي إنّ عمران يشبه
قشّة هشّة وعنيدة متشبّثة بعمود مرمريّ، مهما بلغ عنادها،
فستنتصر هشاشتها وتتزحلق عن المرمر، لتجرفها الريح بعيدًا،
كأيّة قشّة، ثم أزاحت بأصابعها الرشيقة ـ التي لن تتوقّد يومًا
بمسِّ حبيب ـ ضلع المثلّث وخرجت، لم تلتفت، ثمّ ما لبث
عمران، الشديد النحول، الأبعد، مع ذلك، عن أن يكون قشّة،
أن حلَّ محلَّ الضّلع المخلوع. قالت لي كحل شيئًا عن محدوديّة
ملاحظته للآخرين، لكنّ الأمر بالنسبة لي كان على الضّدّ من
ذلك .

في لاهور، في رحلته المدرسيّة الوحيدة من قريته النائية، ترك امتزاج خطّ السماء بقمم القصر في نفسه أثرًا دائمًا. حاول أن يلفت انتباه زملائه لهذا الأثر الفريد، ولكنّه أدرك أنّ زملاءه لا يشعرون إلّا بما هو ملموس في حين يتعدّى إدراكه ذلك بمراحل. أحسّ، في لاهور لأوّل مرّة، أنّ في قرارة هذا العالم ثقب صغير ينسرب منه الزمن. سخر منه زملاؤه حين حاول أن يبوح بفكرة ثقب الزمن الصغير الهائل؛ ومن لحظتها، عمل بدأب على حجب طبيعته الحقيقيّة وعلى تطوير أساليب الدّفاع حيال قدرة البشر على الإيلام.

مددتُ يدي لعمران، فرأيت إبهامي مشوَّها وأسود، خطوتُ نحوه فوجدتُ قفزتي قد اتّسعت هربًا من نداءات جدّتي في عزلتها، وجدت رأسي يدور في الثّلوج، ويرتطم في صدر عمران، لكنّ صدره قُدَّ من صخر، فتحطّم رأسي، تفتّت في الشارع، فصنع منه الأولاد رجل الثّلج. رأيتُ عينيَّ في عينيه الثّلجيّتين، وأنفي المهشَّم في جزرة وجهه.

كنت أقضي الليالي في مشاهدة الثلج. أتّصل لأكلّم أمي وأبي وسفيان، وأرسل السلام لسميّة. ذات مرّة، أعطتها أمي السمّاعة لأكلّمها، ولكن حقيقة أنّها لن تتكلّم، منعتني من نطق أيّ كلمة. لم يكن لي أن أبدأ الحديث. كان عليها أن تقول شيئًا: «أبلة هبة شباتي كبير محترق»، أو «اطعني فطّوم بقلم رصاص لو هاجمتك»، أو «لا تصرخي كما فعلت في جنازة جدّتي»، أو «إيّاك أن يحطّم الأولاد مقبرة السحالي، وإلّا تحوّلت ذيولها لأسواط ولاحقتنا»، أو «إذا هاجمنا الضبّ، فسينشب فينا

ولن يفلتنا حتى تصيح سبع بقرات في السماء وسبع بقرات في الأرض»، أو «فهِّمي جدّتي أنّ سميرة سعيد غير سميرة توفيق»، أو «خذي أنت العيش لجدّتي عندي شغل»، لكنّها لم تنطق. فسكتُّ أنا حتى أخذت أمّي السمّاعة وأغلقت الخطّ.

علّمتني سميَّة كيف أتسلّل إلى المطبخ ظهرًا لأمزج حليب البودرة بالسكّر وأملأ به كفّي. حذّرتني من الاعتراف بأنّي لم أحفظ درس النصوص في حصّة التسميع، أرشدتني إلى أن أبقى في آخر كرسيّ في آخر الصفّ وأحفظ من تكرار الطالبات الأخريات، لقّنتني كيف أقول: «آي لوف يو» لابن معلّمة الإنجليزيّة الأشقر، أجبرتني على التظاهر بالحاجة إلى زيادة مصروفي لشراء ألوان لحصّة الرسم كي تشتري هي أشرطة مصطفى قمر الجديدة. ألصقنا ريش الدجاج في ظهر سفيان وتظاهرنا برميه من أعلى الجدار ليطير من أجل مراقبة أمي تركض نحونا بلا نعال عبر الحوش، صاحت سميَّة: «بنت التاجر المرفّهة تركض حافية»، فلاحقنا أبي بالسوط بعدما قذفنا له سفيان.

كنّا واثقين من الحياة، الآن أتمتم: «أكثر ممّا يجب»، واثقين من صبانا، وفرحنا، وطريقنا، وبيتنا، وواثقين أنّه لا وجود لكلمة الانكسار. وكنّا نمشي في الشوارع متشابكي الأيدي كأنّ تشابكها لن يفكّه غير الموت، والموت كان مجرّد كائن بعيد وغامض، ولا داعي لإزعاج الفرح بالتفكير فيه. كان البيت لنا، لم يخامرنا أدنى شكّ في ذلك، الأرائك والأسِرّة والمخدّات والشبابيك ومقابض الأبواب وكاسيت سوني وحقائب المدرسة، كانت كلّها تنتمي لنا. لم يخامرنا الشكّ، لم نرتَبْ لحظة، وحين

تتلاصق خدودنا على سجّادة الصالة العتيقة كي نتخيّل ممالك الجان على ثريّات السقف، كان هذا هو الرضا.

كانت لنا الأشجار التي غرستها جدّتي في الحديقة، والنباتات التي تنمو في الأُصص، والملابس المعلّقة في المشاجب، والرسائل المفتوحة في الأدراج، والملاعق والشوك والسكاكين والصحون في أرفُف المطبخ، كان لنا هشاشة أمي، وعزم جدّتي، وقدوم أبي بالهدايا من الأسفار، ومشاغبات سفيان، كلّ شيء كان لنا، لم نشكَّ لحظة، ولم نسأل، ولو مرّة واحدة، إن كنّا على صواب أو مخطئين، كان هناك اليقين والرضا والفرح، ولم تكن القواميس قد ابتكرت بعد كلمة الانكسار.

لم نكن نشطب الأيّام في النتيجة المعلّقة على الحائط، ولم نكن نقلِّب الصفحات، ولم نحتفظ بالصحف القديمة، ولم ننفخ الألبومات، ولم نعلِّق الصور، ولم ندّخر ابتساماتنا ورقصنا ولم نعدّ أكواب الشاي وفناجين القهوة.

طِلْسم

صرعت الحمى عمران، فلفَّني الجزع وكحل.

قرَّرنا بعد تردُّد وحسابات أن نذهب لزيارته في شقَّته الصغيرة التي يتشاركها هو و خمسة طلبة باكستانيين. قالت كحل: سنقول إنّنا قريبتاه. لكن أحدًا لم يسألنا.

لا يوجد مصعد بالبناية التي تشغل طابقها الأرضي حانة عتيقة، صعدنا الطوابق الأربعة بصمت، كحل تتقدَّمني وأنا خلفها، وقفنا أمام باب الشقَّة متردِّدتين، عدلت كحل من وضع حجابها وكرَّرت: سنقول إننا قريبتاه.

طرقنا الباب، ففتح لنا شاب طويل يضع سمَّاعات آي بود على أذنيه، حيَّته كحل بالأوردية، لم يسمعها، تنحَّى عن طريقنا وترك الباب مفتوحًا. وقفت وكحل في وسط الصالة، الملابس ملقاة في كل مكان، وصناديق البيتزا الفارغة مكوَّمة على المائدة

مع علب المشروبات الغازيّة نصف الممتلئة، أشار الشاب إلى الغرفة على اليمين، فدخلنا إليها.

اتَّجهت كحل بثبات إلى السرير حيث رقد عمران، وبقيتُ على العتبة. انحنَتْ عليه بالأحضان والدموع، وأخذتُ أرتجف. هذه اللوحة قد رُسِمَتْ وأنا خارجها، وهذا الحب لهما وأنا على عتبته. أنا شاهد ومشهود. انغلقت اللوحة بحزم على حبيبين متعانقين، وأنا - بفظاظة فرشاة رسام - وقفتُ بلا أرض، بلا لون. تهتُ في الغرفة التي زادتها حمى عمران دفئًا، كانت ستارة من خرز ملوّن معقود معلَّقة بين الغرفة وممرّ معتم، ربَّما يفضي إلى الحمَّام. وكان ضوء هين يتساقط عليها فتلمع بومضات متقطِّعة، ميزت على الجدار خلف السرير بوسترًا ضخما للاعب الكريكيت عمران خان، ولم أعرف إن كان عمران مغرمًا بالكريكيت أم لا.

كانت ملابسه معلَّقة داخل خزانة بلاستيكة - من النوع الذي يمكن طيه - بنظام بالغ، بدا لي أنه لا صلة بين غرفته المرتَّبة وصالة البيت، كأنَّ غرفته وجدت خطأ في هذا البيت. أردت أن أمدَّ يدي وألمس قمصان عمران، وأمرِّر إصبعي على الأزرار التي قالت كحل إن روحها عالقة بينها. كان على الطاولة الصغيرة كتب ضخمة مصفوفة، وفوقها سمَّاعة طبية. تخيَّلت عمران يقيس لي نبضي بهذه السمّاعة ونضحك كأنّنا في لعبة عابثة، ثم سمعت صوته يناديني، ها قد انتبه لوجودي، اقتربت منه، منهما، سلامتك يا عمران، لمعت عيناه، ابتسم بضعف واتّكأ نصف جالس. كان يرتدي فانيلّة داخلية بيضاء، وقطرات من العرق تسيل

من رقبته، وأردت أن أمدّ يدي وأمسح قطرات عرقه لكن كحل فعلت.

مسحتها بيدها، وفكَّرت أنِّي أحبّ هذا؛ يدها على رقبته. رغبت أن تظلّ يد كحل هناك، وأن أظلّ أنظر وأنظر. قال إنه فلّاح قويّ كثور وسيُشفى سريعًا، فضحكت كحل وهي تمسح دموعها، ونبضت عروق صدغيه، واختلج جفناها، ورفَّ قلبي كطائر مجهَد.

جثَتْ كحل عند رأس عمران ووقفت أنا عند قدميه. كانت كحل تثرثر وكان كل شيء فيها حبيبًا، وعمران ينظر إليها تارة وإليَّ تارة أخرى، الغرفة خافتة الإضاءة فهذا النهار كثيف الغيم، ولكنَّ اللمعة في عيني عمران وهو ينظر إليَّ تضيء المكان وتضيء صدري، فأحسُّ بعرقه يسيل على عنقي وأحسُّ بدموع كحل تنحدر على خدّي، أسمع الحقول في ضحكتها العالية وأرى العافية المرتقبة في بسمته الغامضة. طلب منِّي أن أحضر عصيرًا لنا من المطبخ، ببساطة، كما يطلب المرء من أخته، أو زوجته.

حاولت البحث عن أكواب العصير غير أنَّ الفوضى في المطبخ كانت عارمة. فتحت أحد الأدراج، فرأيت أواني بلاستيكية صغيرة ملوّنة مصفوفة فوق بعضها البعض. هذه أعرفها تمامًا، تبسَّمتُ للذكرى البعيدة.

كانت جارتنا شيخة قد اشتكت مرارًا من اختفاء أوعيتها البلاستيكيَّة الصغيرة التي كانت تغسلها مقتعدة دكّة الفلج، فما إن تنتهي من غسيل باقي المواعين حتى تكون السلطانيّات الصغيرة قد

١٢٥

اختفت، فتضطرّ للعودة إلى بيتها بصينيّة المواعين بدون السلطانيّات الملوّنة.

قرَّرت سميَّة أن تشكّل (فريق شارلوك هولمز لاكتشاف سرّ المواعين بقيادة سميَّة)، وهكذا كان عليّ أن أراقب على يمين ساقية الفلج وسميَّة على يسار الساقية، حتى اكتشفنا سرقة فطوم للأوعية البلاستيكية، فتتبَّعناها، انسلت إلى أولى مخاضات الفلج، حيث تستحمّ النساء مستورات بالبناء البسيط المسقوف، في مخاضات متتابعة، وفي عتمة وفراغ أوَّل مخاضة، وضعت فطوم فضلاتها منسّقة في كل إناء وتركتها على الماء ليجرفها تيّار الفلج إلى المخاضة التالية حيث ستصرخ امرأة ما منهمكة في استحمامها من المنظر المقزِّز.

أوقعت سميَّة بفطُّوم، وتولَّت جارتنا شيخة ضربها بنعالها الزنوبة الغليظ. نجح فريق شارلوك هولمز في مهمّته، لكنِّي وقعت من يومها في قبضة فطّوم وأخيها عليان في كلّ مرَّة لا تكون فيها سميَّة معي. اكتشفا بسهولة نقطة ضعفي: شعري، فكان عليان يجذبه بقوَّة وفطُّوم تهيل التراب عليّ، لم أفلح في مقاومتهما قط حتى هدَّدتهما جدّتي ونجوت.

عدت بعصير الأناناس الذي تحبّه كحل، كان وجهها مشرقًا الآن، هل تعمَّد عمران إخراجي من الغرفة ليقبِّلها؟ قالت كحل بمرح: تصوَّري أنَّ حضرة الطبيب لا يتناول الأدوية، ابتسم عمران، فأضاءت جاذبيَّته التي أكسبتها الحمّى غلالة شفّافة. داعبتهما: أنتم، معاشر الأطبَّاء، تقولون ما لا تفعلون! قال

عمران: أمي كانت تقاوم الحمَّى بتعليق الأحجبة في عنقي. سحبت الكرسيّ الوحيد في الغرفة وجلست مقابلهما، هكذا كونَّا مثلثا، وحكيت لهما.

كنت في التاسعة وقد أجهدتني الحمّى. أخذني أبي إلى المركز الصحّيّ وعدنا بشريط من الأقراص الطبِّيَّة لم تُجدِ شيئًا. يبدو أنِّي بدأت في الهذيان في حين انخرطت أمي في البكاء، قادها أبي إلى فراشها ونادى أمّه لتسهر على تمريضي. أخذت جدّتي شريط الدواء ورمت به في سلّة المهملات. خرجت إلى بيت جارتنا شيخة وأحضرت بيضة طازجة باضتها إحدى دجاجاتها ذلك الصباح. طلبت من أبي أن يكتب فيها تسع صادات في ثلاثة أسطر، وفي السطر الرابع هذه الكلمة: عجميطة. ثم أخذت جدّتي البيضة ولفَّتها بخرقة كتّان وشَوَتها، وجعلتني آكلها، ثم وضعت القشرة في خرقة الكتّان التي شوَت بها البيضة وربطتها في يدي اليسرى. في اليوم التالي، تمارضت سميَّة لتصنع لها جدّتي بيضة الدجاجة العجيبة، قرصَتْ خدَّيها ليحمرّا، وبقيت بجانب موقد الطبخ حتى سخنت، فهرعت إلى جدّتي تريد البيضة، ولكنَّ جدّتي اكتفت بأن دقَّت لها بعض الكزبرة اليابسة مع سكَّر أبيض وأطعمتها إياها، ثم علّقت في عنقها طلسمًا للحمّى كانت جدّتنا الثريَّا قد كتبته لأبينا وهو طفل. مجرّد أن انشغلت جدّتي بإطعام سفيان، فكَّت سميَّة الطلسم وأخذنا نقرؤه:

«بسم الله الرحمٰن الرحيم. حسبنا الله ونعم الوكيل. لا حول ولا قوّة إلَّا بالله العليّ العظيم. وننزل من القرآن ما هو شفاء. يا حمّى لا تقربي منصور بن سلمان».

غضبت سميّة أشدّ الغضب لأنّ اسمها ليس مكتوبًا على الطلسم، ونفضت عنها مظاهر الحمّى الكاذبة لتعود إلى بناء المزيد من المقابر للطيور والسحالي حول بيتنا.

قهقهت كحل من الحكاية، وصفّق عمران: احكِ لنا المزيد!

لكن لم يكن ثمة مزيد، لم تعاودني الحمّى، لكنّ نوبات بكاء أمي لم تتوقَّف.

في طريق العودة، وضعت كحل يدها في يدي، يد دافئة وليِّنة كانت تمسح عرق الحبيب قبل لحظات. صمتنا ولكنَّ السكينة كانت تمشي بيننا، إنّها مجرّد حمّى وسيشفى سريعًا.

بعد يومين، عدتُ لوحدي. وقفت أمام الحانة ورفعت رأسي لتمييز نافذة عمران، بقيتُ لبرهة أحاول ملاحقة انعكاس الضوء على ستارة الخرز، ثم صعدتُ الدرج، صعدتُ طابقين. لمع في ذهني عقد خرز كان للغجريَّة التي تتسوّل تمرًا في قريتي، رأيت دمها يسيل بجانب العقد المحلول في التراب واختلَّ توازني. كان على يد كحل الليِّنة أن تكون في يدي لتسندني. استدرتُ راجعة. ما إن أصبحتُ في الشارع حتى ركضتُ بأقصى قوَّتي.

أَنْ تَجُنَّ فَرَحًا

ربّما كنت في التاسعة أو العاشرة حين سمعت اسم «كافّة» لأوّل مرّة. كنت أنطّ الحبل بلا توقُّف في الحوش، وألاحق بنظراتي سميَّة التي حشرت فائض فستانها في سروالها وتسلَّقت الجدار لتمرجح جسدها على حافَّته. كانت تُباري صبية الجيران في الأسرع تسلقًا، والأوسع قفزة بين جدار وآخر، حاولت تقليدها مرَّة أو اثنتين، وكانت النتيجة جروحًا على وجهي ويديَّ وركبتيّ من أثر السقوط، فاكتفيت بمراقبتها وتشجيعها في مسابقات التسلّق.

كانت سميَّة تكلِّفني أحيانًا بحراسة المقبرة، في زاوية خارجية على بعد أمتار من بيتنا. أضطرُّ أن أقف في الشمس خوفًا من هجوم أحد الأولاد ساحقًا بعجلات درّاجته القباب الصغيرة التي بنتها سميَّة من الطين، أو تنبيش أحدهم في القبور الصغيرة، واستخراج جثث العصافير والسحالي وحشرات «أبو زيد» التي

١٢٩

تحرص سميّة على جمعها وقبرها في صفوف منظّمة حسب نوع الميِّت. لم أعرف أبدًا إن كانت سميّة هي التي قتلت هذه الكائنات لتقيم عليها الطقوس أم وجدتها ميّتة وحسب.

كانت جدّتي قد يئست من زجر سميّة، وجلست كالعادة في ظلِّ النارنجة، وفي حضنها سفيان، لم يتعدَّ السنتين، وهي تطعمه أرزًّا باللبن، وقبالتها جارتنا شيخة قبيل أن تخرف، جدّتي تحاول إجبار سفيان على إنهاء الطبق، وهو يحاول الإفلات من قبضتها. والجارة شيخة تتذمَّر: «دعيه يا بنت عامر، أنت قريب السبعين، ما عاد لك حيل على تربية الصغار»، فلا تلتفت جدّتي لها، وتتركها تواصل ثرثرتها المعتادة: «نربّيهم ونتعب عليهم ويروحوا، هذا ولدي، ربّيته وسهرت عليه، وينه؟ ما أعرفه حي ولا ميِّت، بعيد الشرّ، أكيد حيّ وبيرجع لي، مسحور يا حبّة عيني، الجنّيّة الكافرة أخذته من حضني، يا حبّة عيني، أنا طول عمري حظِّي قليل يا بنت عامر، زوّجوني أهلي رجَّال سقيم، ما لحقت أعيش معه ستَّة أشهر ومات، وخلَّفني حامل بالولد، لا مال ولا حال، كان رجَّال زين لكن مات، الرجَّال خطف عليّ مثل حلم الليل يا بنت عامر، أخذني تحت جناحه، وما قمت من نومي إلّا وهو راح، ما خطف الرجَّال في حياتي إلّا مثل حلم الليل يا بنت عامر، مثل حلم الليل...».

زفرت أخيرًا بنت عامر في وجهها: «على الأقلّ خطف».

فسكتت شيخة وتظاهرت بملاحقة سفيان الذي كان يتفنَّن في العبث مع المرأتين بالاختفاء والركض وتعفير طبقه بالتراب.

وُلد سفيان، أخيرًا، بعدما أجهضت أمّي قبله مرَّتين، وفي الوقت الذي توقَّع فيه الناس أن تُجنَّ فرحًا به، جُنَّت حزنًا وأرقًا، إذ داهمتها أعنف نوبة اكتئاب ما بعد الولادة لدرجة أنها لم تستطع حمل الوليد وإرضاعه، وأخذت تقضي الليالي تجوس في غرف البيت في الظلام، وتقطِّع النهارات بالبكاء والرعب من أن تؤذي الطفل، فأخذت جدّتي الرضيع من أمّه المذعورة، ونقلت مهده الأبيض إلى غرفتها.

تهامست الجارات بأن بنت عامر ترضِّع سفيان سرًّا كما أرضعت أباه منصور من قبل، وأنَّ عمرها الذي قارب السبعين لا يمنع الحليب من التفجُّر في صدرها بمجرَّد أن تضمّ الأولاد إليه، ولكنّ جدّتي مثلما ربَّت أبي منصورًا في صمت، ربَّت أخي سفيان في صمت، ولم تثرثر مع أحد.

حين كانت جدّتي والجارة شيخة تلاحقان سفيان بطبق الأرزّ باللبن، كانت أمّي قد شفيت من الاكتئاب وتقبَّلت الطفل، ولكنَّ الحال ظلّ على ما كان عليه دومًا؛ أمِّي تنصرف إلى شؤونها الخاصَّة وجدّتي تنصرف إلى شؤون الأطفال، فلم يكن لها من سعادة شخصيَّة؛ كل سعادتها مُستمدَّة من سعادة الذين تُعنى بهم.

كنت أستلقي على مقربة، وقد أنهكني نطّ الحبل، وتهرَّبت من مراقبة مقبرة الطيور والسحالي، حين سمعت الجارة شيخة تقول لجدّتي: «لو كان ولدك منصور أحبَّ حرمته المسكينة هذه مثل ما أحبَّ «كافّة» الجاحدة ما كان بيجيها هذا الجنون بعد الولادة، الحمد لله أن الله لطف وشفاها».

تحوَّلت كُلِّي إلى آذان، ولكنَّ جدّتي غمغمت بصوت مخنوق: «لا تجيبي سيرة كافَّة، الله يرجع لك ولدك بالسلامة».

فتنهَّدت الجارة شيخة، التي لا تحبُّ أن تلجمها جدّتي عن تناقل الأخبار وإعادة تذكُّرها.

لقد انتظرتُ بضع سنين أُخَر حتى أعرف حبَّ أبي الأسطوريّ.

عِشْقُ الصبَا الأَوَّل

لحقت الثُّريَّا بزوجها المدفون غريبًا في مومبي، فدُفِنت مُكفَّنةً في لحاف ابنتها حَسينة، التي هاجرت عروسًا، ولم يُعرف عنها خبر. أطبقت وحشة البيت على منصور، وأمضَّه نوح بنت عامر على صديقتها، فهدَّدها بأنَّ البكاء سيقضي على عينها الوحيدة، وخرج إلى الأزقة يلتمس الأنس.

كان بسبيل متردِّد وعر بين المراهقة والشباب، يخلع عنه سنيه السبعة عشر بتثاقل، كأن يُبهظه أن يتولَّى شأن نفسه والدكَّان والبيت والمزارع التي ورثها عن أبيه، كمن وقع في تحيُّر بين يُتم مباغت وحرِّيَّة مفاجئة. أقصى يُتمه ولم يدرِ ماذا يفعل بحرِّيَّته، قال لبنت عامر إنَّ الدكَّان مقفل للحِداد، وساح في الحواري، يسابق الشبَّان في السباحة في البرك التي كوَّنتها الأمطار، ويباريهم في إسقاط الطيور بالمقلاع والحجر، ثم أخرج بندقيَّة أبيه ولمَّعها، وصار يخرج في رحلات إلى البرّ تدوم أيّاما، لا يرجع منها غالبًا

بأكثر من بضعة طيور أو أرانب برِّيَّة، وحين يعود يجد فراشه مُعدًّا وعشاءه ساخنًا. لم تعد بنت عامر تشدّه من أذنيه، ولا حتى تلومه، فأحسَّ بغصَّة: لقد أصبح رجلاً وهي ليست أمّه.

ثم حلَّ الصيف، جاء إليه البدو للتفاوض على استئجار غلّة نخيله، مع الإبقاء على أصولها، فأجّر مزرعة وأبقى الأخرى، وأصبحت تسليته الجديدة أن يذهب مع أترابه لمشاهدة البدو وهم يجنون الثمار أعالي النخيل، ونساؤهم يتحلّقن على أرض المزرعة ينقّين الرطب، ويملأن سلالهنّ من الخوص بجيده، ويطرحن رديئه لإطعام حيواناتهنّ.

ثم ما لبث أن انتبه أن بين النساء صبايا، يبادلن النظرة بمثلها، ويتعمّدن التراشق بمياه الفلج على مرأىً منه وأصحابه، فنظّم لهنّ العرض الأكثر فتنة: يفرد ذراعيه وينفخ صدره العاري وزملاؤه يصفُّون العقارب ــ التي لبثوا أيَّامًا يصطادونها حيَّة ــ على جسده، فتسير تلك الكائنات القاتلة على جلده وكأنَّها تتنزّه في بيتها.

كانت الفتيات يتصايحن ويذعرن، وسرعان ما يزجرهنّ أهاليهنّ فيهربن، إلّا فتاة واحدة.

ظلَّت تنظر للعرض دون حراك ودون كلمة، وحين انتهى منصور من نفض العقارب التي لم تمسسه بسوء، هزَّت كتفيها باستخفاف وانصرفت.

تبعها منصور ونظر إليها النظرة الطويلة التي رهَّفها اليتم وجرحتها خشونة رجولة مفاجئة، فلم تنظر إليه.

١٣٤

ظلّ يتبعها طوال الصيف. انتهت جهاته وأضحَت هي جهته الوحيدة، يتوجّه حيثما تتوجَّه: المزارع في النهار، وعزيب أبيها في البادية في الليل.

كان لها لون الصبا الأوّل، وفيض انبلاج الفجر العذب، ورقّة الأحلام الغامضة.

وكانت رغائب منصور عظيمة، وتوقُه صعب. انبجسَت بداخله الأنهار الحارَّة الدافقة، وانصبَّت «كافّة» في جوفه دفقة واحدة، كريح صرصر.

رآها مزيجًا من الخير، الفرح، الطيران، المرايا، الهيل، الزنجبيل، التمر، العنبر، صلاة الفجر، جلد النمر المعلَّق في جدران بيته هديَّة التوأمين.

هتف بها كالخارج لتوّه من حلم عظيم: «تزوّجيني».

أمّا هي، كافّة، الصفاء الصرف، والفتنة الآهلة، فقد كانت تخفي تحت غلالة حسنها الصريح طبعًا ملولا، وتوقًا للحرِّيّة لا سماء له. نشأت في عريش من سعف نخيل، على كثبٍ من عزيب جِمال أبيها، كان عريشها بهجة رغم زوجة الأب وبناتها، ورغم ما يفعمهُ من نتف الدخان وضَوْع الخبز المدفون في الرمال ورغاء الجمال على مقربة منه. وكان لها حبٌ فريد: أبوها.

وانقضى الصيف، فهمست لمنصور، بغنج، بما يعني الرفض والقبول في آن، والكثرة والنقصان، و«أمري لأبي».

الصفْح

لم يستطع الأب أن يسامح ابنته على ذهابها إلى بيت رجل آخر .
نعم، لقد فعل هذا الرجل «الآخر» كلّ شيء؛ جاء مع أقاربه، تشدّقوا
بالحديث، شربوا القهوة، قدّموا المهر، أقاموا العرس، ولكنّها
ذهبت، تركته هو بالذّات، في ضعفه وحاجته وحنانه، تركته هي
بالذّات، أقربهنّ إلى قلبه وأغلاهنَّ في روحه، لتذهب ببساطة إلى
الرجل الآخر، الغريب، الذي يشتهيها ويشتهي النسل ويشتهي أن
يقال: فلان فتح بيتًا. تركته هو، أباها، الذي لا يشتهي شيئًا ولا
يطمع في شيء، الذي يحبّها أكثر من امرأته وأخواته وبناته ونياقه
وماشيته، تركته لتذهب مختارة فرحة متزوِّقة إلى الرجل الآخر،
الغريب، الحضريّ الذي لم ينقض الصيف على استئجارهم غلّة
نخيله، حتى جاء يطلب ابنتهم، شرب القهوة وتشدّق ودفع المهر
لتبتاع الذهب والحرير . صاح من وجعه: «وماذا في الذّهب والحرير؟
كنت سأبيع بضعة رؤوس من الماعز وأشتري لها أكثر من هذا الذهب
وأنعم من هذا الحرير، ولكنّها لم تطلب شيئًا، أخذت مهرها واشترت

١٣٦

ما اشترت وذهبت راضية من بيتي لبيت الرجل الآخر». لم يَبُح الأب بآلام روحه ولا بإحساسه المرّ بالخيانة، يعرف ما سيمجّه الناس من قول مكرور: «سنّة الحياة.. حال الدنيا.. مكتوب لها البذور»، سحقًا لهم، ألا تكون سنّة الحياة إلّا في حرمانه من أعزّ الناس إلى فؤاده؟ وما جدوى البذور إن كانوا سيتركونها كما تركتّه؟

مرّت الليالي عليه وهو مؤرَّق، لم يستطع مسامحتها، على أنّها لن ترى أنّ الرجل الغريب لن ينتبه إذا خرجت قدماها من اللّحاف فيغطيهما. وما أدرى الغريب أنّها تمرض إذا بردت قدماها؟ كان مجرّد صبيّ تافه حين كان هو يسخّن زيت الزّيتون ليدهن قدميها، كلّ ليلة، حتى ينقضي الشتاء، وإذا ناما في الخلاء في السفر، فكيف سيفطن هذا الحضريّ أن يخطّ على الرمل خطًّا يحيط بفراشها كي لا تقتحمه العقارب؟ هل سيفحص المكان بحثًا عن الثّقوب والجحور قبل أن يلقي فراشه لتنام عليه ابنته؟ هل سيمسح جبينها بالمعوّذات ويرقيها؟ وإذا تسلّل البرد من أخمص قدميها فمرضت، فماذا سيفعل الغريب؟ ماذا سيفعل؟ يردّد السؤال لنفسه ويجهش في البكاء. ظنّت امرأته أنّ زوجها عاوده الهذيان في النوم، فهزّته لإيقاظه فما كان منه إلّا أن سألها عن الرقية وحمّى البرد. كانت امرأته أصغر منه بكثير، وكان يعزّ عليه أن تنظر إلى شيخوخته بإشفاق، تراجع عن أسئلته المفاجئة، ولكنّها لم تشفق عليه، قالت بجدّيّة: «وهل تظنّ زوج ابنتك شيخًا جاهلاً مثلك؟ هذا شابّ حضريّ يعرف كلّ الذي لا تعرفه، وعنده بيت كبير ودكّان ومزارع، لا يحتاج أصلاً أن يبيّت البنت في الخلاء». فسكت، خجل من نفسه جدًّا، من زيت الزيتون والتمائم والخطّ على الرمل، سكت عن الأسئلة وكفّ عن البكاء، ولكنّه لم يعرف كيف يمكنه أن يسامح ابنته التي اختارت الغريب وذهبت إلى بيته.

الفُضُول

كان منصور يحسّ بأنّه، وكافّة معه، واقف تحت شلّال ماء
صافٍ، متلقٍّ لفيوضه، وعنفوانه، مغتسل به، ومتخلِّق في الدخان
الذي يصنعه ارتطامه بالأرض، كان يحسّ أنّه ريّان، وممتلئ
وفائض. وكانت هي تحسّ أنها تقف خلف الشلّال، ظهرها
ملتصق بالصخور وتنظر عبر الشلّال إليه، لا تبتل، ولا تشرب،
إنّها تنظر، والرؤية، من وراء الشلّال، رؤية عبر ماء، مضبَّبة،
هكذا كانت تراه: مضبَّبًا بماء شلَّالها الدافق.

كانت تقابل تعبّده لها بوجهٍ سَاهٍ وملامح غائبة، كأنَّ هذا
الزوجَ الذي استيقظت صباحًا لتجد نفسها في فراشه، لمجرَّد أنَّ
حفلة ما قد أُقيمَت، غنَّى فيها الناس وأكلوا، إنسانٌ يبعث على
الفضول وحسب. لم تنقضِ أشهر قليلة حتى فقدت كافَّة فضولها
وانتهت بداخلها رغبة الاستكشاف، ولم تعد تعرف ماذا تفعل في
هذا البيت الواسع مع هذا المراهق الذي يغسل قدميها ويدلّكهما

بأوراق الورد، ومع أمّه التي لم تلده، التي تراقب جنونه في صمت وتدير مزارعه التي ورثها وتقف في دكّانه نيابةً عنه.

كان حبّه فكرة، فكرة ملحّة ومعذّبة أكثر من كونها حقيقة واقعة. أحيانًا يكونان معًا وتشعر بضجر، تشعر كأنّها تسير بلا أمل في مراع مدّ البصر لا يوجد فيها عشبة واحدة مختلفة عن الأخرى، ولاً درجة اخضرار واحدة مختلفة.

أحيانًا تبعث رنّة صوته شعاعًا من الحبور إلى صدرها، لكنّ الكلمات نفسها مضجرة إلى حدّ يعتم الشعاع نفسه ويخنقه.

كانت قد تعبت من تعبّده لها، وأرادت شيئًا أكثر بشرية، أكثر مرحًا، أكثر خطرًا من لعبة العبوديّة المتكرّرة.

أرادت أن تُفاجأ، ولكنّ كلّ شيء مرسوم سلفًا. أرادت أن تنبهر، أن تنتظر، ولكن لم يدعها تنتظر. كل لحظة وكل شيء كان جاهزًا ومصقولاً عند قدميها.

حنّت إلى الصحراء، إلى الركض في الرمال واصطياد الضبّ والسحالي ورعاية قطعان الغنم وتدليل النوق، اشتهت الغناء على الكثبان مع أبيها في الأمسيات المقمرة، سئمت الحرير الذي يريد هذا الزوج أن تلبسه له كل ليلة، وتعبت من الحياة في بيت له جدران. بدت لها الجدران عالية بلا نهاية، وبدا لها ثمن التأليه مدفوعًا من جسدها وروحها، فجسدها مقدّس من جهة ومرغوب من جهة أخرى، وكان الإيفاء بمتطلّبات الأمرين معًا شاقًا ومعذّبًا.

العَقْرَب

بعد رحيل كافَّة تهشَّم منصور.

تمرَّغ في حوش البيت لإخماد سعير جوفه، ولم يخمد.

الطرحة الوحيدة التي نسيتها في بيته افترشَها، نام عليها، تنشَّقها، دلَّكَ بها جسده حتى حَالَ لونها، بلَّلها بماء الفلج وعصرها في فمه، ولم يُشفَ.

تقلَّب في الليالي الباردة على الكثبان التي يرى منها نار عَزيب أبيها. أهال على نفسه الرمال وهو يتحشرجُ باسمها وهي لا تعودُ إلى اسمها في فمه.

طال شعره، فأخذت بنت عامر تغسله عن التراب وتضفِّره له كأنَّما عاد طفلاً، دأبت على نشر طرحة كافَّة في الشمس كي تجفّ ريثما يبلِّلها منصور ثانية ويعصرها في فمه، سَقَتْهُ لبن النوق البارد، ومنقوع عشبة قبضة مريم، وغَلَتْ له زهر الآلام مع الماء

لتهدأ النار في جوفه .

جاء الناس لعيادته فأقفلت دونهم باب البيت، وقفت ريّا وراية على الباب وصاحتا فيها: «هذي عقوبة اللي يعرّس قبل عن يحول الحول على أهله في قبرهم». فتحت بنت عامر الباب وقذفت التوأمين بجلد النمر المغبرّ، سألتهما: «وأيش عقوبة اللي ينسى الإحسان؟»

ظلّ منصور ذاهلاً وممسوسًا حتى استيقظ ذات صباح على ألم مبرح . لقد لدغته عقرب .

لم يصدق أحد أن منصورًا لدغته العقرب، أمّا هو فقد أقامه الألم على قدميه، تداوى، خبّأ طرحة كافّة الممزّقة في خزانته، وأعاد فتح دكّان أبيه .

عِمْرَان

كانت النادلة الأوكرانية في مقهى القرود الثلاثة قد رحلت لتحلّ محلّها أخرى بولندية.

قلت لعمران إن يد جدّتي خضراء. فضحك، ضحكته تلك المغتصبة، وقال إنّه هو نفسه، الذي نشأ فلّاحًا، لم تكن يده خضراء، وكان على والده أن يعيد غرس شتائله من جديد.

بم يفكّر حين يقول ذلك؟ بم تفكّر كحل وهي ترفع رأسها عن مذكّرتها الدراسيّة حين يقول ذلك؟

ربّما تفكّر كحل في المراعي والحقول التي تعرضها أفلام الكرتون في طفولتها؛ هايدي وسندبل...

ربّما يفكّر عمران بصفعات أبيه، وركلاته.

لم ترَ كحل آثار السوط وأسياخ الحديد على روحه، تتبَّعَتْ الآثار بشفتيها على جسده، وحَسِبَتْ أنها شُفِيَت. كلَّمها عمران

لأوَّل مرَّة عن والده بعد أشهر عديدة على لقائهما. هي التي سألته، رأت الآثار على جسده فسألته. قبل أن تراه تقلَّبت معه في فراش خيالها، اضطرمت النيران فيها وكل قطعة من جسده تتجلَّى في رؤاها كالنبوءة، وحين رأته ضمَّتهُ وبكَت، تدفَّق بكاؤها سيلا هادرًا أزاح معه قمصان البنجابي التي لم تختَرْ تفصيلها، والأحذية الكامدة المسطَّحَة التي لم ترَ أمُّها غيرها لائقة بالبنت الدميمة، وكلّ التصوّرات التي حسبتها جزءًا راسخًا منها، فإذا بالسيل يجرفها، دفعة واحدة وإلى الأبد.

أمّا أنا ففكَّرت بجدّتي.

في سحيق وحدته، وقد لدغته العقرب، انتبه منصور بغتة لحنان أمّه، بنت عامر، فمسَّه. انتبه لضعف عينها الوحيدة، فخطرت له فكرة النظّارة، اشترى لها واحدة، بإطار أحمر معقَّد، كانت صغيرة على وجهها، وتضغط على رأسها من الجانبين حين تلبسها، لكنَّها كانت نظّارة، هديَّة منصور الذي لم تحبّ شيئًا في الحياة حبّها إيَّاه. جاء بها بلا سؤال، فلبستها بلا شكوى، وذاب من قلبها كل حسد تجاه ريّا وراية، الحدباء وضعيفة النظر.

بقي منصور بعد طلاقه كافَّة وحيدًا وكسيرًا رغم عودته للدكّان. حاولت جدّتي حمله على أن يتوسَّع في الزراعة، أرادت أن يستصلح مزارع جديدة فتعلِّمه أسرار النباتات ودكنة الخضرة وعطش المزروعات وشوقها للأنس، لم تتصوّر مزارع معتادة كالتي ورثها من أبيه ممتلئة بالنخيل، وبالكاد تحوي شجرة ليمون أو مانجو، حلمت بصفوف من النبتات الطبِّية كالصبار والمخيسة

١٤٣

جنبًا إلى جنب مع أنواع الرياحين والياسمين والأوركيد والخزامى البرّي وأشجار الزينة. تخيّلت عشرات أشجار الفواكه وحولها الحقول الصغيرة للبصل والبطاطا والطماطم والفلفل. سمعت في أحلامها خرير ماء الساقية وهو يتغلغل في نَسْغِ كلّ نبتة فيُحييها.

لكنَّ منصورًا اختار التجارة، وثَّق صِلاته بالتجّار في صور، تعلَّم الأسرار والفنون، ثم ما لبث أن استفاد من انفتاح الاقتصاد بعد. وانتعشت تجارته، ولم تمضِ سنون قلائل حتى كان قد خطب ابنة أحد التجّار الصوريين؛ أمي.

اشترط أبوها ألَّا تخرج ابنته من صور، فوافق ذلك هوى في نفس أبي الذي ملَّ من ركود بلدته وعزم على بناء بيت على البحر. رفضت بنت عامر الانتقال من البيت القديم، «لا أخرج من بيت سلمان». وحين جاءت عروس منصور إليها، وقالت لها وهي تقبّل رأسها: «تعالي يا ماه معنا، منصور ما يقدر يعيش بدونك»، خرجت جدّتي من بلدتها للمرَّة الثانية في حياتها، بعد خروجها شابَّة إلى مسقط في شاحنة الحمالية للقاء طومس.

لم تزرع الحقول التي حلمت بها قط. باع منصور المزارع التي ورثها وتفرَّغ للتجارة. أفرغت جدّتي أحلامها في حديقة البيت الصوريّ التي افتقرت تربتها للخصوبة. قال عمران: «أسوأ ما يمكن أن يحدث لفلَّاح هو ألَّا يملك أرضه».

لم يملك عمران ولا أبوه الأرض التي كانا يفلحانها، كانت مرهونة والرهن لم يُفَكّ قط. وحين حصل عمران على بعثة الآغا خان لدراسة الطبّ، كان حلم أبيه أن يعود ابنه طبيبًا فيفكّ رهن

١٤٤

الأرض، ولكنَّ أباه مات وعمران في غربته.

طويلاً، ومعروقًا، ومُهانًا على الدوام من أبيه، أضمر عمران
وهو يستقبل خبر نجاحه مُلطَّخًا بطين أرض لا يملكونها ألَّا يعود
إلى قريته قط. حتى في ليالي الثلج الأشدّ حنينًا، حين تحرمه
دمعة أمّه النوم، وهي تداوي جراح سوط الأب وأسياخه على
جسد الصبيّ الذي كانه، يقسم لنفسه ألَّا يعود، لن يعود. ولكن
كان للقدر شأنٌ آخر.

القَلْبُ فخَّارٌ وَمَاء

كأنَّما كان قلب منصور جرَّة فخَّار ملأى بالماء، كسرتها كافَّة بنظرتها اللامبالية، فأفقدتها ماءها إلى الأبد. في الأوقات التي كانت فيها تستيقظ جزعة في الليل زاعمة أنَّها رأت كوابيس مُنذرة، تفسيرها محدَّد: يجب ألَّا تبقى مع منصور، كان هو يقطع كُمَّه كيلا يوقظ رأسها النائم على طرفه.

وحين وصلت إلى عزيب أبيها مطلَّقة بإلحاحها، نحر أبوها الذبائح احتفالاً بعودة ابنته المحبوبة إليه. استعاد التوازن في مواجهة زوجته الشابَّة، أحسَّ أنَّه، مع ابنته كافَّة ـ يتيمة الأم التي عافتْ الزوج لتعود إلى كنف الأب ـ في كفَّة، وامرأته المدلَّهة بشبابها مع بناتها في الكفَّة الأخرى، استعاد الأب توازنه وعاد للنوم بهدوء وسكينة.

ترمَّم فخَّار قلب منصور ولكنَّ الماء ضاع منه بلا عودة، وحين تزوَّج ابنة التاجر الصوريّ بعد أكثر من عشر سنين، ودَّها

وأجلَّها، ودلَّلها أحيانًا، ولكن بلا رَواء، بلا أدنى أثر للشغف الذي دفعه لتقطيع أكمامه وتدليك قدمي كافَّة بأشجار ورد كاملة.

لم يعرف أحد ما الذي حلَّ بكافَّة بعد موت أبيها.

كان قد توقَّف عن مسابقتها على ظهور الجمال، يتحشرج صوته إذا ما غنَّيا في الليالي المقمرة، ترتعش يداه إذا ما مسَّد رأسها، فتدلِّكه هي بزيت الزيتون الحارّ وتغنِّي له التهويدات الشجيَّة. ثم شاخ إلى حدّ العجز عن التمييز بين الماضي والحاضر، وأخذ يناديها باسم أمها، ولمَّا أقعده الشلل، اضطرَّت امرأته أن تُلبسه الحفاظات، فأصيب بشرخ هائل في كرامته، التي حاول الحفاظ عليها أمامها طوال حياته، ولم يجد وسيلة للدفاع عن كبريائه المهدرة بالشيخوخة والعجز إلّا بتطليقها. رمى على امرأته يمين الطلاق، فاعتزلت غرفته ببساطة، انتقلت مع بناتها إلى القسم الآخر من البيت، وأصبحت كافَّة هي المسؤولة عن شيخوخته، وكرامته، حتى مات.

ولمّا مات غادرت كافَّة العزيب ولم يُسمَع عنها خبر.

لَيْلَةُ القَدْر

انتهينا من فطيرة التفّاح والآيس كريم فمددت ساقيَّ قليلاً. لاحظ عمران حذائي الأحمر، وقال إن لونه يعجبه، فقلت إنّه مصنوع من جلد طبيعيّ. ثم ساد صمت، عادت كحل لمذكّرتها الدراسية، وتبادلت أنا الحديث مع النادلة البولندية التي أخبرتني أنّها طالبة بيولوجيا واشتغلت من قبل في تنظيف النوافذ ورعاية الأطفال لتسديد تكاليف دراستها، قالت إن حلمها أن تبقى في الغرب الأوروبي.

قال عمران فجأة: يا لهذا الحذاء! كأنّه مصنوع من جلود الشعوب المقهورة.

حدَّقتُ أنا في حذائه البنّي الصقيل ولم أقل شيئًا.

تراءت لي خزانة ملابسه البلاستيكية في مواجهة ستارة الخرز. ألمح القمصان تصطفق بجوفها كالأعلام، بتيّار هواء

عنيف، غير مرئيّ مع ذلك، كأنّما ينبعث من داخلي. أسمع صوت القمصان فيحملني إلى البحر، إلى خفق الأشرعة في رحلات أبديّة، إلى سفينة تائهة ترفع علم الكوليرا للحبِّ، إلى دوار البحر، وغناء البحّارة، وحوت جزيرة السندباد، وألَقِ النجوم الغريب. أجذب روحي المتعثِّرة بين أزرار قمصان عمران في خزانته، فتعتلق في طريقها بروح كحل وتتعثَّر بها.

كانت كحل تفيض حنانًا، وبدا كأنَّ عمران يذود الحنان عنه. خطر على بالي أنَّه يحرص على الاحتفاظ بمسافة من الناس، ليس ترفُّعًا عنهم، وإنَّما خوفًا منهم. أينما حلَّ، نشر حوله هالة الغموض والصمت. كحل كسرت الهالة، جعلت هذه الذراع المتخشِّبة ـ التي ما زالت تحتفظ بآثار الحديد المحميّ من سخط الأب ـ تمتدّ إليها وتحيط بها. لكنّ طريقها لذراعه الموسومة بدمغات القسوة كان شاقًّا، وحتى اللحظة، بعد أن كادا يكملان سنة على زواجهما السرّيّ، كانت موجات الارتياب من الحنان، أو الخوف منه تغمره بعيدًا عنها.

لم يكن غير آبه بالناس، كان يأبه لهم أكثر مما يظنّ الآخرون. ظنّ الناس أنّ عمران في عدم اكتراثه لا يهتمّ بغير دراسته، ولكنّه كان منغمسًا في فضوله تجاه الناس، فضول في غاية التكتُّم والتمويه. ولقد شملني هذا الفضول.

كان ماكرًا، ولكن ليس مخادعًا. لقد رأت كحل نزاهته كما رأيتها. كان مقمَّطًا فقط في قمصان طفولة مرعبة. لم ينقذه حنان الأم الذليل من الإهانة، بل زادها عمقًا.

١٤٩

في قريته، كان كل شيء من طين: البيوت والزرائب وأسوار الحقول والمدرسة الابتدائيَّة، حتى البهائم الهزيلة كانت ملطّخة بالطين، المبنى الحجريّ الوحيد هو مقام الإمام، الذي سيخرج من سردابه السرِّيّ المهدي المنتظر، ويملأ الأرض عدلاً بعد أن مُلئت جورًا. لم يطلع أحد على موضع السرداب من المقام، إلّا أن عمرانَ واظب على التسلُّل إليه ليلاً، نزع السجاجيد المهترئة، وفحص الأرض الحجريَّة، وضع أذنه على كل شبر فيها، لَكَمَ بقبضته الجدران، لكنَّ سرَّ السرداب لم ينكشف له.

وفي ليلة القدر، خرج له نور من بين شقوق الأرضية، وسمع بكاء شجيًّا، فمدَّ يديه في العتمة، يدي الفتى المحروقة بأسياخ حديد الأب، خلخل الأحجار، أزاحها فانزاحت وانفتح له السرداب. انزلق عمران فيه بيُسر، كأنَّما طار وحطّ، وجد السرداب مبلَّطًا بالفضَّة، ورأى الإمام يُوزَن بميزان هائل، ويُكال له وزنه ذهبًا. وكان يرتدي رداء أبيض مطرّزًا بالقصب، ويعتمر قَلَنْسُوَة مزيّنة بالعقيق، وقف عمران أمامه، فمدَّ الإمام يده المزيّنة بخواتم الألماس والياقوت ومسح آثار الكيّ بالحديد المحميّ والجلد بالسياط عن جسد عمران، وأمر أتباعه أن يلتقطوا دموع الفتى في إناء فضّة مشغول الحواف، غمس الإمام يده فيه، فتحوّلت قطرات الدّموع إلى لآلئ حَشا بها الأتباع جيوب عمران وأناروا له طريقه بمشاعل فخرج وانسدَّ باب السرداب ولم يُفتح ثانية.

الخَطِيب

حين دفنت جدّتي صديقتها وجارتها العجوز شيخة، أخذت تقضي العصارى على دكّة بيتنا محدِّقة في باب الجارة الحديديّ المقفل. كان المفتاح لدى جدّتي، لعلّ ابن شيخة المهاجر تطلّقه جنّيّات الغرب فيعود يومًا ما ويفتح بيت أمّه التي خرفت وماتت في انتظاره.

وفي يوم مكفهرّ، مرَّ عليها شيخ فانٍ، مُحدودِب الظّهر، ناصع بياض اللّحية، وحين رآها، دقَّ بعصاه الباب الحديديّ، وقال: «غريب وعطشان»، فأشارت له جدّتي بالجلوس، وأحضرت له كأسًا من الماء وطبقًا من التمر، ودلّة قهوة، فافترش دكّة بيت العجوز شيخة، وأكل وشرب، وحكى لجدّتي كيف أضاع طريقه، وكان عائدًا من المشفى، لكنّ سائق الأجرة أنزله في هذه القرية عوضًا عن قريته، وظلّ تائهًا يحاول الاهتداء إلى بيته حتى فطن إلى ضياعه.

وحكَتْ له جدّتي عن جارتها التي ماتت، وعن أملها بعودة الابن المهاجر، وعن الأشجار التي زرعتها وأثمرت، وعن عجائب

شجرة النارنج التي لا تثمر حتى تمسحها جدّتي بيديها، وعن ابنها منصور وامرأته الصوريّة وأولاده، وعن بيتهم الأوّل على البحر في صور، ثمّ انتقالهم إلى القرية مرّة أخرى، حين عافت المرأة رائحة البحر في حملها الثّاني، الذي لم تُسقطه، وعن سخط سفيان الصغير للحليب، وولعه بالشوكولا قبل أن تكتمل أسنانه، وعن سفر ابنها منصور وأولاده إلى الإمارات، وعن الهدايا الصغيرة من قوارير العطر وكريمات الشعر والأمشاط التي تحضرها البنتان عادة إليها، وعن الأقمشة واللحافات التي ستهديها زوجته لها، وعن كونها تعرف أنّ منصورًا يشتري الهدايا ثمّ يعطيها امرأته وأولاده ليهدوها إيّاها، وعن المرّة الوحيدة التي سافرت معهم إلى الإمارات، فلم تعجبها، وقرّرت البقاء في البيت حين يسافرون كلّ صيف، وعن آخر الأخبار في القرية.

وحين نهض الرجل في المساء، بعدما نادت على أحد الجيران ليُقِلَّه بسيّارته إلى قريته، سألها وهو يتوكّأ ليركب السيّارة، عن اسمها وعائلتها، فلمّا أخبرته، ضحك الرجل حتى رأت جدّتي بوضوح فكَّه الخالي من الأسنان، وقبل أن تغضب لضحكه قال لها:

أنتِ؟ أنتِ بنت عامر؟ بنت الفارس؟ أنا خطبتك من خمسين سنة، وردَّني أبوك.

لم يتوقّف الرجل عن الضحك، والسيّارة تنطلق به، وبقيت جدّتي واقفة تنظر إلى السيّارة.

في تلك اللّيلة شاخَتْ جدّتي، وفي غضون السنوات القليلة القادمة، تقوّضَ جسدها العظيم تدريجيًّا حتى أُقعِدت وتخطّت اللّياقة التي حافظَتْ عليها بكلّ كرامة طوال حياتها.

المُثَلَّث

سافر عمران إلى قريته التي بلا اسم في ريف باكستان، ففقدت كحل توازنها.

أرادت أن تكتب له «المكاتيب» التي تتحدَّث عنها الأغاني. أرادته أن يعرف، وهو في عزلته وضيقه بالحياة الضيّقة الشحيحة، أنَّ روحها ترفُّ عليه، أنَّها لا تقدر على تغيير سطر في كتابه، لكنَّ أصابعها تطول حتى تلمس شَعره، وتمسّده.

أرادت أن تحكي له عن الشوق. كيف يحرق، يحرق حقيقة، تفاجئك اللسعة في أعمق نقطة من قلبك، ولا تفهم المجاز.

تحكي لي كحل عن الشوق الذي يحرق فأتخيَّلك، أتخيَّلك بعينيها يا عمران، أتخيَّل شعرك في التقائه بعنقك، وأتخيَّل أنّي أمسِّده، وأحلم أنَّك تحسّ، في هذه اللحظة، بإصبعي تلفُّ خصلة قصيرة، وأنّك تفرش شعري على فراش أبيض لتنظر إليه. أتخيَّل

أنَّ شعري يصبح كالأراجيح الدوَّارة في الملاهي، وأنا أجنُّ بك وفيك. أنا كحل، أريد أن أمنحك حليب صدري فتكون ابني، وأن أعطيك عسل أنوثتي فتكون رجُلي، وأن تربّت على ظهري فتكون أبي.

سافر عمران بالغ الشاعريَّة وبالغ القسوة، مُظهِرًا أقصى درجات اللامبالاة تجاه البشر، ومُخفيًا اهتمامًا مشبوبًا بهم. سافر حين أغلق الموت عينيْ أبيه، عينين تشعَّان إدانة دائمة باتجاه عمران: مخطئ إن فعل؛ مخطئ إن نوى أن يفعل، مخطئ إن لم يفعل شيئًا على الإطلاق.

كان حضوره راسخًا مهدّدًا بالخطر.

حين مات هذا الأب وانتفى الخطر، تخرَّج عمران وسافر على التوّ إلى قريته ليكون رجل البيت.

كانت كحل تنتظر.

كان للخيال مساحة ضيِّقة في حياتهما، أحبَّ كلاهما الآخر، رغب كلاهما في قرينه، فتزوَّجا. أمَّا أنا، الواقفة على رأس المثلَّث، فقد جعلت الخيال كل حياتي، أحببت كليهما، ورغبت في اتِّحادهما، وفي اتِّحادنا، واكتفيتُ بالخيال. لقد ربَّى الخيال قوَّة إرادتي في حين هشَّمَها الواقع.

أنا وكحل وحيدتان في مقهى القرود الثلاثة. أريد أن أقول. لكنَّ الصمت لنا. أريد أن أسأل عن زاوية فمه. عن خوفه من الناس. عن رحيله بلا وعود. أريد لكحل الحزينة أن تصرخ باسمه، وأريد أن أصرخ معها: «عمران. عمران»، أريد أن أقول

عن نسيج البنطلون الذي لم يُغزَل مع نسيج تنُّورتها فانفصمت خطوتهما. ليتها ما انفصمت. ليت النعم تساقطت من سماء عَطوف ومنحتني غسل قلبيهما كل فجر. كل فجر.

لكن الصمت لنا. والصمت غير رحيم والكلام غير رحيم.

في البدء، هامَتْ روحي على وجهها، وفي المنتهى، هامَتْ روحي بين جدران مقهى القرود الثلاثة.

ثم تردَّدت روحي في شرفتك، تمرَّغَت على وسادتك، شربت في كأسك، واندسَّت تتوسَّد كتبك. واحتضنت زوجتك. الجسد المهجور يا عمران، جسد كحل، لم تستقم خطوته. لم تستقم نظرته، والروح الهائمة لا ترجع.

يا أُنسي، أريد أن أقول يا وحشتي، لا تلمس روحي الهائمة في دورانها في مقهاك، فهي مجرَّد شبح حزين. يا صديقي، أريد أن أقول يا حبيبي. يا حبيبي، أريد أن أقول يا زوجي.

الأَرْدِيَة

حين حكَتْ لي جدّتي حكاية الأسد الذي يقدّم ظهره طواعيةً لخشب الرجل القاسية امرأته، قالت لي: «إذا ابتلى الله العبد بشيء عوَّضه بشيء آخر»، وحين كبرت أكثر ولم تعد تضفِّر لي شعري، ولم تعد تقوى على المشي، ولم تميِّز عينها الصحيحة غير الأشباح، حكَت لي ولسُميَّة حكاية أخرى، عن أبيها. كان ذلك في العام الذي حكم فيه سعيد بن تيمور مسقط، أرسل آل حمودة في جعلان لأبيها سرًّا يُغرونه بالاشتراك معهم في الانفصال وإعلان الاستقلال، طمعوا في فروسيَّته وشجاعته النادرة، فطمع في مالهم الذي أمدَّهم به آل سعود، غضب عليه إخوته لأنَّ آل حمودة يخالفونهم في المذهب، فلم يأبه لهم، وقاطعته أمّه شريفة الملقَّبة بـ «شريفة العزيزة»، إشارة لعزَّة أهلها، فلم يلتفت إليها، ودخل حربًا خاسرة ضدَّ السلطان والإنجليز. عاد وقد جُرح في كتفه بشظيَّة، وقُتِلت «الدهيم» البيضاء، أفضل

أفراسه، وخسر كل ماله الذي رهنه لشراء الأسلحة، خجل من الخروج إلى مجالس الرجال، فكان يركل جدران البيت من شدَّة الغضب ويلطم كل من يصادف في طريقه. وفي اليوم الذي أدرك فيه أن عليه أن يبيع آخر خيوله لِيُطعم أولاده، قالت امرأته أنَّ ابنه كبير بما يكفي ليعيل نفسه وأخته العوراء.

لم أهتم بالحكاية، كنت على وشك الامتحانات وأرغب في الحصول على بعثة دراسيّة إلى أوروبا. ولم تهتمّ سميّة بالحكاية، كان الشاب الوسيم الذي تخرَّج في أستراليا قد تقدَّم لخطبتها وكانت ترغب في الهناءة. خرجنا بهدوء من غرفة جدّتي وهي لم تقل: «لا تذهبوا». قالت أمّي: «تحتاج ماه تتسبَّح؟»، أومأنا بنعم، فنادت أمِّي على الخادمة.

لم تحكِ جدّتي أي حكاية بعدها.

جاءت عصافير كثيرة في حلمي فاستيقظتُ، أحسست بنسيج لباس جدّتي اللدن على خدّي، فتذكَّرت بأني لم أودِّعها قبل أن أسافر. قمت من فراشي للهاتف، كيف نسيتُ توديعها؟ في منتصف الطريق بين فراشي وهاتفي تذكَّرت، فجأة، أنَّها ماتت. وتذكَّرت الأردية.

لُمَّتْ الأردية على عجل؛ خضراء، بنِّيَة، حليبيَّة، مقلَّمة، منقوشة، سادة، جديدة وقديمة، بشراشيب وبخياطة متعجِّلة على الطرف، ثم نُصِبَتْ كلها، متجاورة ومفرودة، على أيدي النساء اللاتي شكَّلنَ مربَّعًا من الأردية الخفَّاقة حول النعش، عُقِدَت أطراف الأردية ببعضها البعض، وكادت أيادي الحاملات لها

تتلامس عند العُقَد، لكن أيّ شيء لم يكن محكمًا، فما يدور داخل المربَّع المستور بالأردية، لم يكن مستورًا على الإطلاق. لم يكن الرداء الثقيل ذو الشراشيب والرائحة الواهنة القديمة ينفتح فقط لتجلب إحدى المغسّلات مزيدًا من دلاء الماء، أو لِيطلَّ رأس المطيِّبة سائلة عن مكان العود، أو طالبة المزيد من الكافور، بل كان ينفتح أيضا لهبّات الهواء، وبعض الالتفاتات الفضوليّة من حاملات الأردية، اللواتي يتراخين قليلاً أو كثيرًا عن رفع الرداء، ويختلسن النظر لجسد الميِّتة العاري. ولمّا لم يكن الميِّت يافعًا تهشَّم وجهه في حادث سيّارة، ولا مريضًا بقيت في جسده آثار المجازر الجراحية، لم يكن هناك الكثير لتأمله والحديث عنه لاحقًا، همسًا في مجالس النساء، وجهرًا في الجلسات العائليّة الحميمة التي لم يتوسَّطها نعش بعد.

أعلنت المغسّلات والمطيِّبات انتهاء مهمَّتهنّ، فأراحت حاملات الأردية أياديهنَّ، ولم تتوانَ إحداهنّ عن فرد ظهرها وفرك كفيها، فيما لمَّت أخرى الأردية المتكوِّمة وأبعدتها.

هكذا دخلت جدّتي إلى ذلك الزمن، الذي بلا هواء وبلا نور وبلا نهاية، الزمن الذي تبدو كل حياة إلى جانبه قصيرة، حتى حياة جدّتي.

الفَارِس

كانت طفلة بعشرين ضفيرة مدهونة بالآس، وخدود مضمَّخة بالزعفران، وعينين نجمتين، ولها بيت، والبيت يتوسَّط حقلاً صغيرًا، وخلفه إسطبل للخيول، ولها أب فارس، ولها أم رؤوم، ولها أخ عطوف، ولها اسم.

لم تمُتِ الأم بعد، لم يتزوَّج الأب بأخرى بعد، لم تتكاثر الأفواه الجائعة حوله، لم يخسر الأب كل أحصنتهُ بعد، ولم يصل ثمن شوال الأرزّ إلى مائة قرش. لم تفقد عينها بعد، ولم تسمع همس أبيها: «لن أزوِّجها قط فيُعيِّرها أهل الزوج بالعوراء».

كانت طفلة لاهية، تطير ضفائرها العشرون في الهواء، وأبوها يردفها خلفه في فرسه «الدهيم» البيضاء، وأخوها يمهّد لها البردعة على حمارته الرماديّة، ويدفعها لتسبقه في تسلُّق التلَّة الصغيرة، تضحك حتى تبلِّل الدموع وجنتيها فيسيل الزعفران خطوطًا على رقبتها.

كانت تجمع طفلات الحارة وتلقي عليهنّ الأوامر: واحدة

، وواحدة تختلس خِرَق الأقمشة الملقاة في سلال خياطة الأمَّهات، وواحدة تجمع بيضَ السمك الصغير من الفلج، وواحدة تنسل بعض الصوف. وحين يطرحن اللقى الثمينة أمامها، تبدأ ورشة العمل، ولا تنتهي إلّا بدُمى خشبية لها ثياب بخليط من الألوان، وحَلَق أبيض من بيض السمك، وشعر من الصوف، وعيون من الكحل.

تغنِّي وصديقاتها للدُّمى، فتغنِّي الدُّمى لهنَّ، يرقصن فترقص الدُّمى حولهنّ، يحشرن دشاديشهنّ في السراويل ويركبن على كرب النخيل، فيتحوَّل تحتهنّ إلى خيول منطلقة، هي الأسرع، تطير في الهواء فتغنِّي لها البنات: «بنيّة يا بنيّة أبوها فارس الميدان، ركّاض الخيل الأبيض، ما ناسيَ الإحسان».

تعود مجهدة مغبرَّة للبيت فتحمّمها أمها في الفلج وتُلبسها عقد فُلّ، يأتي أبوها فتشهق بالفرح، يربّت على رأسها، فتقول له: «ريحتك كريهة»، فيبتسم بمشقَّة، ويقول: «العطور للحريم، وللرجال عرق الخيل والبارود».

كان شعره طويلاً غير مغسول، ولحيته خفيفة، وكانت هي تحلم أن يسمح لها بلمس شعره، فتفعل فيه ما تفعل بصوف عرائسها، ولكنّها تهابه، وأقصى حالات رضاه أن يربّت على رأسها، ويبتسم ابتسامته الشاقَّة.

وكانت النساء قد نظَمْنَ الأهازيج في شجاعته ووسامته، وكانت هي تحفظ بعضها سرًّا في غفلة من غيرة الأمّ، وحين تطير على كرب النخلة، أو على أرجوحة الليف في الحقل، تردّد لنفسها:

«عند العصر عاينت شِيفة، محروز عامر وَد شريفة».